안과의사를 위한

안구진탕

NYSTAGMUS MANUAL

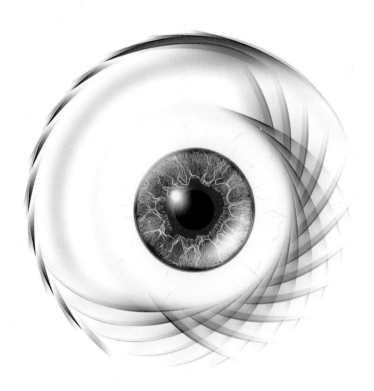

안과의사를 위한 안구진탕

첫째판 1쇄 인쇄 | 2021년 12월 07일
첫째판 1쇄 발행 | 2021년 12월 20일

지 은 이   김응수, 이병주, 이익성, 이호윤, 임현택, 정재호, 최재환, 한진우
발 행 인   장주연
출 판 기 획   최준호
책 임 편 집   이현아
편집디자인   양은정
표지디자인   김재욱
일 러 스 트   김명곤
발 행 처   군자출판사(주)
　　　　　　등록 제4-139호(1991. 6. 24)
　　　　　　본사 (10881) **파주출판단지** 경기도 파주시 회동길 338(서패동 474-1)
　　　　　　전화 (031) 943-1888   팩스 (031) 955-9545
　　　　　　홈페이지 | www.koonja.co.kr

ISBN   979-11-5955-799-6
정가   50,000원

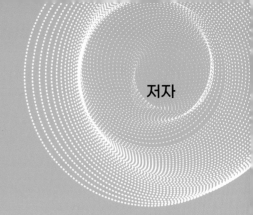

저자

김응수　김안과병원

이병주　서울아산병원 안과

이익성　순천향대학교 의과대학 신경과교실 조교수

이호윤　이화여자대학교 의과대학 이비인후과교실 부교수

임현택　바른눈서울안과
　　　　（전 울산대학교 의과대학 서울아산병원 안과 교수）

정재호　서울대학교 의과대학 안과학교실 부교수

최재환　부산대학교 의과대학 신경과학교실 부교수

한진우　연세대학교 의과대학 안과학교실 부교수

머리말

안구진탕은 안과전공의 시절부터 가장 어려운 분야 중 하나였습니다. 하지만 사시소아안과와 신경안과를 전공으로 선택하고 난 이후에도 그 어려움은 해결되기보다 더 깊어졌습니다. 시와 신경안과를 전공으로 하는 저로서는 누구보다 눈떨림에 대한 이해가 깊어야 한다고 생각했지만 실상은 크게 다르지 않음에 늘 정복하지 못한 산으로 남아 있었습니다. 그러던 중 안과외래에 비디오안진검사를 설치하고 나서 직접 환자를 찍고 파형을 분석하고 임상양상을 비교해 보면서 어렵게만 느껴지던 안구진탕에 대한 이해가 조금씩 깊어지기 시작했습니다. 하지만 안구진탕에 대한 호기심을 풀기에는 한글 교과서가 부족하고, 원서를 읽기에는 국어가 주는 생동감이 없어 아쉬움이 컸습니다. 다행히 안구진탕에 경험 많은 교수님들을 모시고 『안과의사를 위한 안구진탕』을 집필할 수 있게 되었습니다.

이 책의 목표는 책 제목처럼 안과의사들에게 안구진탕을 소개하는 데 있습니다. 증례와 동영상, 사진을 통해 이해도를 높이기 위해 최선을 다하였고, 신경과의 최재환 교수님, 이익성 교수님, 이비인후과의 이호윤 교수님을 모셔 감별진단과 비디오안진검사에 대한 단원도 구성하였습니다. 바쁘신 와중에도 시간을 쪼개어 훌륭한 원고를 집필해 주신 임현택 교수님, 정재호 교수님, 한진우 교수님, 이병주 교수님께 감사드리고 어려운 주제를 맡아 발간을 결정해주신 군자출판사 관계자분들께도 감사의 마음을 전합니다.

앞으로도 진행되는 연구를 지속적으로 추가시키고, 증례에 대한 깊이를 키워 더 좋은 교과서로 만들고자 하오니 끊임없는 관심과 격려 부탁드립니다. 감사합니다.

대표저자
김안과병원

김 응 수

안진은 안과의사라면 누구나 알고 있어야 할 질환이다. 이번에 출판되는 참고서 『안과의사를 위한 안구진탕』은 안진의 해부학 및 병인에서부터 치료까지 총망라하였으며, 이비인후과 및 신경과 분야에서의 안진의 내용도 다루고 있으므로 안과의사들이 안진을 이해하는 데 한층 더 도움을 줄 수 있을 것으로 생각한다.

안진은 드문 질환이며 진단과 치료가 쉽지 않은 질환이다. 아직도 안진에 대해서는 발생기전 등 명확히 알려지지 않은 부분이 많으며 많은 연구를 해야 될 분야라고 생각한다. 또한 후천성 안진은 신경과 및 이비인후과 의사들과 다학제적인 접근이 필요한 분야이므로, 안과의사들이 『안과의사를 위한 안구진탕』 책을 통해 기본적인 지식을 습득하여 환자를 진료함에 있어 큰 도움이 될 것으로 생각한다. 더 나아가 이렇게 기본적인 지식을 쌓은 의사들이 미래의 의과학자가 되어 좋은 연구를 할 수 있는 토대를 생성할 수 있을 것으로 생각한다.

이 책은 안과의사의 입장에서 알아야 할 내용을 위주로 저술되었으며 다양한 증례를 통하여 안진환자의 실제 비디오안진계에서의 영상으로 안진을 직접 확인할 수 있어 안과전문의뿐만 아니라 전공의의 교육에도 큰 도움이 될 것으로 생각한다. 또한, 깊이의 차이는 있을 수 있으나 안과의사들뿐 아니라 신경과, 이비인후과 의사들에게도 안진에 대한 궁금증을 해결하는데 한줄기 빛과 같은 책이 될 것임을 믿어 의심치 않는다. 마지막으로 김응수 대표저자를 비롯하여 본 책이 완성될 수 있도록 힘써 주신 집필진 선생님들께 감사드린다.

연세대학교 의과대학 안과학교실 명예교수,
공안과병원

이 종 복

안구진탕은 안과에서 드물지 않게 보는 질환입니다. 그러나 아쉽게도 안구진탕에 대해 알려진 바가 적고, 치료도 어려우며, 수술 또한 표준화되었다고 보기 어렵습니다. 이러한 현실로 안구진탕에 대해 좀더 탐구하고, 최신 지견을 알아보고, 보다 나은 치료 방법에 대해 모색하려는 노력이 필요하겠습니다. 이에 안과 김응수 선생님을 대표 저자로 하고, 안과 임현택 선생님, 정재호 선생님, 한진우 선생님, 이병주 선생님, 신경과 최재환 선생님, 이익성 선생님, 이비인후과 이호윤 선생님, 총 일곱 분 선생님이 힘을 모아 안구진탕에 대한 책을 발간하게 된 것은 시의 적절하다고 생각합니다. 여덟 분 선생님의 수고를 치하하며, 이 책의 추천사를 쓰게 되어 영광입니다.

안과의사를 위한 책은 많지만 안구진탕만을 다룬 책은 국내뿐 아니라 해외에서도 보기 힘듭니다. 이 책은 다른 안과 서적에서 부분적으로만 다루던 안구진탕에 대해서 단일 주제로서 책 한 권을 구성하여, 깊이 있고 정확한 정보를 제공합니다. 이렇게 안구진탕을 다룬 책을 통해서 안과의사가 안구진탕을 이해하는 데 큰 도움이 될 것으로 믿어 강력히 추천하는 바입니다.

서울대학교 의과대학 안과학교실 교수

황 정 민

안구진탕(눈떨림)은 신경과와 안과, 이비인후과 의사들이 임상에서 흔히 경험하는 징후이나, 양상도 다양하고 원인질환이나 기전도 복잡하여 공부하면서 어렵게 느끼는 분야 중의 하나입니다. 안구진탕의 학습에는 시각 및 눈운동신경계의 해부와 병태생리, 그리고 이에 근거한 분류가 필수적입니다. 이러한 측면에서 이번에 발간된 『안과의사를 위한 안구진탕』은 안과에서 가장 흔하게 접하는 영아안구진탕증후군을 비롯하여 다양한 안구진탕을 증례와 동영상을 통해 다루고 있으며, 신경과와 이비인후과 영역에서 발생하는 안구진탕도 일목요연하게 정리하고 있어 눈운동에 관심이 있는 안과의사뿐 아니라 심도 깊은 공부를 원하는 전공의들에게도 큰 도움이 되리라 생각합니다. 끝으로 본 책자의 집필을 위해 수고해 주신 안과 및 신경과 선생님들께 감사와 축하의 말씀을 드립니다.

서울대학교 의과대학 신경과학교실,
분당서울대학교병원 신경과 교수

김 지 수

01

해부학

눈운동계

정재호

사람의 눈운동 체계는 선명하고 안정적인 양안시binocular vision를 얻는 것을 목적으로 하며, 주시이동gaze shift과 주시유지gaze holding를 통해서 이루어진다. 이를 위해서 여섯 가지 종류의 눈운동을 사용하는데 먼저 주시이동을 위해 신속운동saccades, 원활추종운동smooth pursuit, 이향운동vergence을 이용하며, 주시유지를 위해 주시fixation, 전정안반사vestibule-ocular reflex, VOR, 그리고 시운동눈떨림optokinetic nystagmus, OKN을 이용한다.

표-1-1. 안운동의 기능적 분류

눈운동	기능	자극	검사법	잠복기/속도
신속운동	빠른눈운동	중심 밖 망막자극	빠른수의운동	200 msec 250–800°/sec
원활추종운동	사물을 따라보는 운동	망막미끄러짐	따라보기운동	125 msec 0–30°/sec
이향운동	두 눈이 서로 반대방향으로 향하는 운동	양코쪽 혹은 귀쪽 불일치	융합력, 근거리 눈모음	160 msec 30–150°/sec
시운동눈떨림	머리 위치가 바뀔 때 지속적으로 보는 운동	고개 돌림 혹은 체위변경	OKN 드럼	60 msec 전정안반사의 느린 운동
전정안반사	빠르게 머리를 돌리거나 기울일 때 볼 수 있게 하는 운동	고개 돌림 혹은 몸 운동	고개돌림 시 주시유지	15 msec 800°/sec까지

각각의 눈운동체계는 서로 다른 해부구조물을 통해서 저마다의 명령 및 조절경로를 가지고 작동한다. 눈운동을 명령하고 조절하는 상위명령 부위에서 실제로 눈운동을 수행하는 하위운동 영역으로 내려가며, 이를 핵상계supranuclear, 핵간계 internuclear와 핵하계intranuclear로 분류한다. 일반적으로는 핵상계는 눈운동과 관련한 신경핵들의 상위명령체계로 동향운동과 이향운동을 조절한다. 핵하계는 눈운동을 직접 담당하는 눈운동신경핵, 눈운동신경, 신경근접합부, 외안근부위를 의미하며 외안근의 개별운동을 관장한다.

(1) 대뇌, 전두엽눈영역; 수의신속운동, 두정엽눈영역; 반사 신속운동, 보조눈영역 supplementary eye fields; 망막 이외의 자극에 의한 신속운동, 반사적 신속운동과 설계, 중간측두엽시각영역; 움직이는 물체의 방향과 속도를 감지하여 원활추종운동 담당, 안쪽위측두엽시각영역medial superior temporal; 시자극과 눈운동에 대한 정보를 통합하여 원활추종운동 관여(그림 1-1)

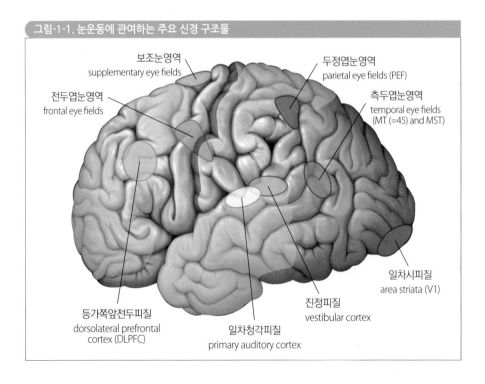

그림-1-1. 눈운동에 관여하는 주요 신경 구조물

(2) 뇌간, 안쪽세로다발입쪽간질핵rostral interstitial nucleus of medial longitudinal fasciculus; 수직/회선신속운동, 카할간질핵; 수직신속운동을 담당하는 수직/회선운동의 신경 적분체, 시상상부맞교차posterior commissure; 한쪽 카할간질핵에서 반대쪽 3, 4번 뇌 신경핵 및 카할간질핵으로 연결, 안쪽세로다발; 뇌간내에서 신호전달을 하는 통로, 솔기사이핵Raphe nuclei; 휴지세포, 교뇌덮개망상핵, 등가쪽교뇌핵; 원활추종운동 조절, 설하전개핵; 수평운동의 신경적분체, 정중옆교뇌망상체; 수평신손운동을 일으키는 흥분돌발세포와 억제돌발파세포, 연수망상체; 수평운동의 억제돌발 파세포, PMT세포군paramedian tract cells; 전운동구조물에서 소뇌로 연결, 동안신경핵, 활차신경핵, 외향신경핵; 외안근에 직접 작용하는 눈운동신경의 핵, 전정핵; 전정기관의 정보를 신속운동생성구조와 눈운동신경핵들로 전달, Y군세포; 수직 원활추종종운동과 수직 전정안반사를 위해 동안신경핵과 활차신경핵으로 연결되는 전정핵의 부핵(그림 1-1)

(3) 소뇌, 타래flocculus; 신속운동의 펄스-스텝 조절하고 전정안반사를 담당, 곁타래; 원활추종운동 조절, 등쪽충부; 신속운동의 시작과 끝을 조절(그림 1-1)

1. 핵상계; 눈운동을 명령하는 대뇌피질

대뇌는 주시이동에 관여하는 신속운동과 원활추종운동을 명령하는 역할을 한다. 신속운동은 망막에 상이 나타났을 때 반사적으로 발생하는 반사신속운동visually reflexive saccades과 기억에 의해 혹은 의식적으로 나타나는 수의신속운동memory guided and volitional saccades으로 분류할 수 있다. 반사신속운동은 두정엽에서, 수의 신속운동은 전두엽에서 담당한다. 이후에는 피질하구조, 뇌간의 전운동구조 그리고 뇌간의 신속운동생성구조와 눈운동신경세포로 전달되어 눈운동이 발생한다.

신속운동과 주시를 일으키는 시각정보는 시피질을 거쳐 최종적으로 전두엽으로 전달된다. 전두엽눈영역은 수의신속운동, 두정엽눈영역은 반사신속운동, 그리고 보조눈영역은 전두엽눈영역에서 정보를 받아 학습과 기억에 의한 순차적인 신속운동 및 신속운동 설계를 담당한다. 이외에도 앞전두엽이 시자극의 처리와 기억과 관련된 신속운동을 조절한다. 먼저, 전두엽눈영역에서 발생한 신호는 같은 쪽 상구superior colliculus를 비롯하여 반대쪽 전두엽으로 신호를 전달한다. 한편 뒤쪽두정피질도 상구로 반사신속운동을 위한 정보를 보낸다. 따라서 상구는 수의신속운동과 반사신속운동 모두에 중요한 역할을 한다. 상구는 등쪽층과 배쪽층으로 나뉜다. 등쪽층은 감각을 담당하는 시각층으로 망막과 시피질로부터 시각정보를 받으며 그 표면은 망막과 대응되어 있다. 배쪽측은 운동을 담당하는 운동층으로 일차시피질, 선조외피질, 등가쪽앞전두피질에서 시각정보를 받아 눈운동에 대한 신호를 발생한다. 상구는 반대쪽 뇌간에 있는 핵하계로 정보를 보낸다. 신속운동에 대한 대뇌피질 명령의 일부는 뇌간의 전운동영역으로 직접 전달되기도 하지만 많은 부분은 기저핵을 거쳐 상구로 전달된다. 기저핵에서는 사물을 주시하는 동안 불필요한 안구운동이 일어나지 않게 하며, 필요한 안구운동을 일으키게 하는 기능을 담당하고 있다. 시상은 신속운동의 설계에 관여하여 뇌간에서 대뇌로 눈운동정보를 올려 보내는 역할을 한다. 대뇌에서 만드는 신속운동 정보는 교뇌의 핵들을 거쳐 소뇌로 간다. 소뇌의 등쪽층부, 꼭지핵fastigial nucleus, 그리고 타래가 신속운동에서 중요한 역할을 한다. 등쪽층부는 신속운동의 시작, 정확도, 그리고 속도조절에 관여하여 신속운동의 시작과 끝을 정확하게 조절한다. 꼭지핵은 되먹임 작용을 통해 망막중심오목으로 타겟이 유지되는 기능을 하고, 타래는 신속운동의 펄스-스텝pulse-step을 조절한다.

원활추종운동은 움직이는 물체를 따라 봄으로써 물체상이 망막중심오목이나 그 인근에 머물도록 하는 눈운동이다. 물체상이 망막을 가로질러 움직이는 것을 망막미끄러짐retinal slip이라고 하고 이것이 원활추종운동을 일으키는 자극이 된다. 망막미끄러짐은 물체 움직임에 관여하는 외슬상체의 큰세포층에서 시피질로 정보가 전달된 후 동측 중간측두엽시각영역으로 전달된다. 원활추종운동은 물체의 방향과 속도를 감지하고 머리움직임 정보와 결합하여 물체를 따라 볼 수 있도록 한다. 한편, 대뇌 피질 중 뒤쪽두정피질은 움직이는 물체를 인식하고 구분하는 역할을 하여 특정 배경에서 움직이는 물체를 구분할 수 있도록 해준다.

② 핵간계; 눈운동을 생성하고 조절 뇌간

신속운동이나 원활추종운동에 대한 핵상계의 명령은 뇌간으로 전달된 후 강화와 억제를 거쳐 동향운동을 할 수 있게 한다. 일반적으로는 중뇌는 수직 눈운동을 관여하고 교뇌는 수평 눈운동을 관여한다. 수직/회선 신속운동은 중뇌에 있는 안쪽세로다발입쪽간질핵Rostral interstitial nucleus of medial longitudinal fasciculus, riMLF에서 생성되고 수직전정안반사와 수직원활추종운동에 대한 정보는 연수와 교뇌에서 안쪽세로다발medial longitudinal fasciculus, MLF을 통해 중뇌에 전달된다. 수평신속운동은 교뇌에 있는 정중옆교뇌망상체paramedian pontine reticular formation, PPRF에서 생성되고, 수평원활추종운동은 전정소뇌에서 정보를 받아 교뇌에 있는 외향신경핵에서 생성된다. 신속운동 발생과정은 눈운동신경에 대한 펄스–스텝신경 지배로 설명할 수 있다. 펄스는 안근육이 안와내의 점탄성력을 극복하면서 눈을 새로운 위치로 이동시키기 위해 신경세포들이 폭발적으로 흥분하는 것을 말하는 것으로 눈운동 시작과 속도에 대한 명령이다. 펄스 이후 이동한 눈이 그 위치에 유지하기 위해서는 눈을 원래 위치인 중앙으로 되돌리려는 여러 힘에 대항하여 일정하게 지

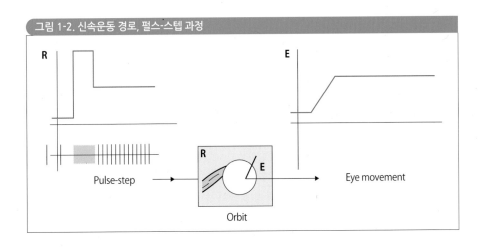

그림 1-2. 신속운동 경로, 펄스-스텝 과정

R

E

Pulse-step →

R

E

Orbit

Eye movement

속적으로 수축하여야 하는데 이를 스텝이라고 한다. 스텝은 눈위치을 유지하는 신호이다. 수평신속운동에 대한 펄스명령은 PPRF에 있는 돌발세포들이 담당하고, 수직신속운동에 관여하는 펄스세포는 riMLF에 위치한다(그림 1-2).

수평눈운동을 담당하는 눈운동 신경핵은 외향신경핵이다. 수평신속운동의 흥분성 명령은 외향신경핵 위쪽에 위치하는 같은 쪽의 정중옆교뇌망상체에서 시작하여 같은 쪽 외향신경핵으로 간다. 외향신경핵은 운동신경인 외향신경과 핵간신경을 가지고 있어 같은 쪽 외직근과 반대쪽 내직근을 지배한다. 즉 운동신경은 같은 쪽 외직근으로 가고 핵간신경을 반대쪽 MLF를 따라 올라간 후 동안신경의 내직근아핵으로 가서 같은 방향으로 수평동향운동을 일으킨다. 한편 억제성 명령은 PPRF에서 반대쪽 외향신경핵으로 가서 신속운동을 하는 동안 반대쪽 외직근과 같은 쪽 내직근을 억제하여 신속운동이 원활하도록 돕는다. 한편, 수직과 회선 눈운동을 담당하는 눈운동신경핵은 동안신경핵과 활차신경핵이다. 수직 및 회선 눈운동과 눈떨림의 고속기를 위한 흥분성 명령은 riMLF에서 시작되며, 이 구조물은 상방과 하방 눈운동에 필요한 신경세포를 가지고 있으나 회선운동은 한쪽 방향으로만 일어나게 된다. 즉 오른쪽 riMLF는 오른눈 외회선, 왼눈 내회선을 일으킨다. riMLF는 주시 유지를 위해 카할간질핵에 신호를 보내 교뇌에 있는 휴지세포에 신호를 받는다. 또한 MLF를 통해서 안쪽 전정핵과 위전정핵의 정보를 받는다. 수직-회선 눈운동을 담당하는 카할간질핵은 riMLF에서 정보를 받고 전정핵에서도 정보를 받아 머리기울임을 같이 분석하여 수직 및 회선운동을 관장하게 된다. 즉 카할간질핵이 자극을 받으면 같은 쪽으로 머리기울임 같은 쪽 눈의 하전과 외회선, 반대쪽 눈의 상전과 내회선이 생긴다.

머리를 움직일 때 보는 방향을 유지하고 또 망막에 맺힌 상을 놓치지 않기 위해 머리 움직임과 반대방향으로 전정안반사가 일어난다. 전정안반사는 원활추종운동과 비슷한 역할을 하지만 더 빠른 속도를 낼 수 있어 머리 움직임이 많은 일상생활에서 더 중요한 역할을 한다. 전정안반사가 빠른 반응 속도를 보이는 이유는 미로에서 눈운동신경까지 3개의 신경세포로 구성되어 있어 가장 짧은 신경회로

그림 1-3. 각-진정안반사 경로

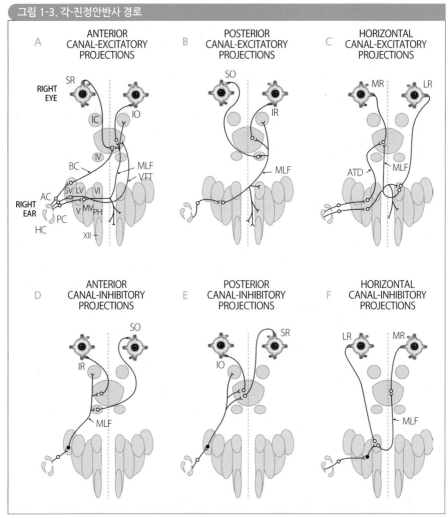

A. 상반고리관으로부터 흥분성 구심성신경은 안쪽전정핵에서 시냅스한 후 반대쪽 MLF를 따라서, 또 일부는 위전정핵에서 시냅스한 후 위소뇌다리나 배쪽피개로를 따라서 반대쪽 동안신경핵이 상직근아핵과 하사근아핵으로 신호를 보낸다. 이를 통해 같은 쪽 상직근과 반대쪽 하사근을 지배한다.

B. 후반고리관으로부터의 흥분성 구심신경은 안쪽전정핵에서 시냅스한 후 반대쪽 MLF를 통해 같은 쪽 상사근을 지배하는 활차신경핵과 반대쪽 하직근을 지배하는 동안신경아핵으로 신호를 보낸다.

C. 수평반고리관으로부터의 흥분성 구심신경은 안쪽전정핵에서 시냅스한 후 반대쪽 외향신경핵과 MLF, Deiters상행로를 통해 같은 쪽 동안신경핵의 내직근아핵으로 신호를 보낸다. Deiters상행로는 외향신경핵을 시냅스 없이 통과한다.

D, E, F는 각각에 대한 억제성 신호전달 경로이다.

중 하나이기 때문이다. 또 일부는 소뇌를 비롯한 다양한 눈운동 기관으로 전달되기도 한다. 머리 움직임은 크게 선형운동과 회전운동으로 나뉘고 선형운동에 대해서는 이석수용체에 의해 작동하는 이석-전정안반사otolith-vestibular-ocular reflex와 회전운동에 대해서는 반고리관에 있는 마루에 의해서 일어나는 각-전정안반사angular VOR로 분류할 수 있다. 먼저, 이석-전정안반사는 앞뒤, 좌우, 상하로 움직일 때 나타나는 병진반사와 앞뒤 흔들림, 좌우 흔들림에 나타나는 기울임반사가 있다. 눈은 머리움직임과 반대방향으로 회선, 수직운동을 한다. 즉 머리를 왼쪽 어깨로 기울이면 두 눈이 수평을 유지하기 위해 오른눈이 내려가고 왼눈이 올라가며 오른눈은 외회선되고 왼눈은 내회선된다. 다음으로 각-전정안반사는 각각의 반고리관에 의해 작동하며 각 반고리관은 2개 외안근을 활성화한다. 반고리관에 의한 자극은 반고리관과 동일한 평면상에 위치한 작용근을 흥분시키고 대항근은 억제한다. 흥분성 명령은 반대쪽 눈운동신경핵을 지배하고 억제명령은 같은쪽 눈운동신경핵을 지배한다. 즉 오른쪽 상반고리관은 왼쪽 후반고리관과 오른쪽 후반고리관은 왼쪽 상반고리관과 오른쪽 구평반고리관은 왼쪽 수평반고리관과 연계되어 있다(그림 1-3).

시운동눈떨림optokinetic nystagmus은 전정안반사와 함께 머리가 움직일 때에도 망막의 일정한 부위에 물체상이 맺히게 하여 사물을 잘 볼 수 있게 도와준다. 원활추종운동이 망막중심오목에서 움직이는 물체의 주시 유지에 관여하는 데 반해 시운동눈떨림은 전체 망막이 관여하는 좀 더 원시적인 형태의 추종운동이라고 할 수 있다. 시운동눈떨림의 정확한 해부학적 경로는 알려져 있지는 않지만 원활추종운동계와 일부 중복될 것으로 추정하고 있다.

마지막으로 소뇌는 눈운동을 정교하게 보완해서 잘 볼 수 있도록 하는 데 중요한 구조물이다. 소뇌 중 타래는 전정안반사를 조절하며 눈운동신경으로 가는 뇌간의 신호 입력을 받는다. 이때 눈운동신호는 눈운동명령의 복사본을 타래에 보낸다. 따라서 타래는 시각을 통한 되먹임, 시각과 상관없는 전정안반사의 상쇄를 일으켜서 주시유지와 눈운동의 적응에 매우 중요한 역할을 담당한다. 곁타래는 원활추종운동에 관여하며, 소뇌의 소곁절과 배쪽층부는 전정안반사운동 속도를 저장하는 기능을 담당하고 등쪽층부는 신속운동과 추종운동을 시작 시점을 조절하는 데 중요하다. 꼭지핵은 수직방향과 반고리관에서 오는 신호의 불균형을 조정하는 역할을 담당한다.

③ 핵하계; 눈운동을 수행하는 눈운동신경핵과 신경

아무런 신경작용이 없으면 시축은 벌어지지만 3쌍의 눈운동신경이 작용하여 두 눈으로 볼 수 있는 안구위치를 유지한다. 한편, 동안신경은 눈꺼풀올림근과 동공 괄약근에도 분포하여 눈꺼풀기능과 동공기능을 관장하기도 한다. 하사근을 제외한 나머지 외안근에 분포하는 눈운동신경은 안와첨에서 1/3 지점에서 외안근에 분포하며, 하사근은 근육의 중간 부위에서 하직근의 가쪽면과 평행하게 주행하는 신경혈관다발에서 신경분포를 받는다. 상사근만 근육의 위쪽면으로 신경이 들어가고 나머지 외안근은 근육의 안쪽면으로 들어간다. 눈운동신경은 신경핵신경다발에서 신경으로 그리고 신경−근접합부로 이행하고 최종적으로 외안근을 지배한다.

외향신경핵은 연수와 경계를 이루는 부근의 꼬리쪽 교뇌의 등쪽부분, 4번째 뇌실 바닥 정중선 가까이에 위치한다. 안면신경다발에 의해 둘러싸여 있고 PPRF보다는 꼬리쪽, MLF보다는 바깥쪽에 위치한다. 외향신경은 2가지 신경 즉 운동신경과 핵간신경을 가지고 있다. 외향신경핵에서 기시한 외향신경은 거미막밑공간에 들어간 후 비스듬틈의 표면을 따라 소뇌교뇌각의 윗부분 높이까지 위쪽으로 올라가면서 앞쪽으로 진행한다. 측두골의 추체첨부 아래에서 경막을 뚫고 추체침대돌기인대 아래에 있는 도렐로구멍Dorello's canal으로 들어간다. 이후 해면정맥동굴로 진행하고 내경동맥의 수평주행부분의 아래가쪽으로 삼차신경의 첫 분지와 근접하여 주행하는데 동안신경과는 달리 벽에 붙어 있지 않고 해면정맥동에 떠 있는 상태로 주행한다.

활차신경핵은 중뇌의 등쪽에 위치해 있으며 하구 높이의 수도간주위회백질 앞부분에 쌍으로 존재한다. 활차신경은 뇌간의 뒤로 나가는 유일한 뇌신경이며 앞수질덮개에서 교차하여 각각 반대방향으로 주행한다. 한편, 다른 주변 구조물로 보호되지 않은 상태로 가장 길게 두개내에서 주행하므로 외상에 취약하다. 활차신경은 동안신경과 마찬가지로 거미막밑공간으로 들어간 뒤 뒤대뇌동맥과 위소뇌동맥 사이를 지나지만 동안신경보다는 바깥쪽으로 지나가므로 동맥류등이 발생해도 영향을 덜 받는다. 해면정맥동굴로 주행하며 이후 상안와열을 통하여 안와로 들어온다.

동안신경핵은 중뇌의 입쪽에 쌍으로 있다. 상구높이의 수도관주위회백질 앞부분에 위치하며 MLF의 안쪽에 위치한다. 동안신경핵은 주운동핵과 부교감신경핵인 Edinger Westphal핵으로 되어 있다. 주운동핵은 내직근아핵, 상직근아핵, 하직근아핵, 하사근아핵 그리고 눈꺼풀올림을 지배하는 아핵인 중심꼬리핵으로 구성되어 있다. 상직은 아핵은 반대쪽 상직근을 지배하며 다른 아핵들은 같은 쪽 외안근을 지배한다. 양쪽 눈꺼풀올림근은 정중선에 위치하는 하나의 아핵으로부터 지배를 받는다. 부교감신경핵은 주운동핵의 뒤에 위치한다. 신경다발은 적색핵, 흑색질,

그림 1-4. 뇌신경핵 및 신경 주행경로 그림(3, 4, 6번 뇌신경)

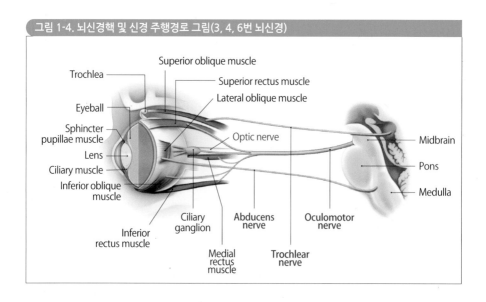

대뇌다리 내에 피질척수로를 지나 중뇌앞면에서 다리사이오목으로 나온다. 동안신경은 거미막 밑공간으로 들어와 뒤교통동맥가쪽으로 나란히 주행한다. 특히 동공괄약근에 분포하는 신경섬유는 동안신경의 등안쪽표면에 분포하여 뒤교통동맥 가까운 위치에 있게 되므로 해당혈관에 동맥류가 발생할 경우 동공이상이 발생할 수 있다. 이후 신경은 두개골바닥을 지나 해면정맥굴의 바깥위족으로 들어온다. 상안와열을 통과하여 안와로 들어오기 직전 윗분지와 아랫분지로 나뉘고 윗분지는 상직근, 눈꺼풀올림근으로 분포하며 아랫분지는 내직근, 하직근, 하사근과 섬모체신경절로 간다. 동공으로 가는 축삭인 신경절이전섬유preganglionic nerve fibers는 하사근으로 가는 아랫분지를 따라 Zinn공통힘줄고리에서 10 ㎜ 앞쪽 시신경의 가쪽에 있는 섬모체신경절에서 시냅스한 후 신경절이후섬유postganglionic nerve fibers를 이루어 홍채에 분포한다(그림 1-4).

시각계

정재호

① 망막

빛이 망막에 도달하면 망막광수용체에 의해 전기화학적 신호로 바뀌고 신경절세포를 통해 대뇌로 전달된다. 망막은 수직으로 세포가 배열되어 있고 수직으로 배열된 세포가 수평으로 층을 이루고 있는 구조를 가진다. 수직으로 배열된 세포는 망막광수용체, 양극세포, 그리고 망막신경절세포이며 세포층과 세포들간의 연결부위가 수평으로 배열되어 층을 이루고 있다. 인간 망막의 두께는 대략 0.2 ㎜이며 총 면적은 1,100 ㎟ 이다. 각각의 망막은 200만 개의 뉴런으로 이루어져 있고 망막광수용체층이 가장 외측에 존재하며 신호 전달은 망막내층으로 이동한 후 시신경을 통해 안구에서 빠져나간다. 빛을 전기화학적 신호로 바꿔주는 망막광수용체는 세 종류의 원뿔세포cone cell와 한 종류의 막대세포rod cell로 이루어져 있다. 대부분의 환경에서 우리의 시각은 다양한 강도의 빛에 반응할 수 있는 원뿔세포에 의해 매개된다. 원뿔세포는 종류별로 각각 반응하는 빛의 파장이 다르다. 그러나 막대세포는 자연의 빛 강도에 의해서도 포화되고, 색을 구별할 수 없으며 야간에서 시기능을 담당하는 세포이다. 망막에서 원뿔세포와 막대세포는 매우 편중되어 분포한다. 이같은 분포 양상으로 인해 중심와와 망막주변부의 기능이 특화된다. 황반은 약 5.5 ㎜ 직경으로 시신경유두의 이측에 위치한다. 중심와는 1.5 ㎜ 직경으로 황반 중심부에 위치하며, 중심소와는 0.35 ㎜ 직경으로 중심와 중심에 위치한다. 중심와에는 1 ㎟당 약 200,000개의 원뿔세포가 있어 정교한 시력을 얻을 수 있다. 망막광수용체는 망막신경절세포에 신호를 중개하는 양극세포와 연결되고, 수평세포와 무축삭세포는 이 층의 세포들과 측면 연결을 한다. 황반에서는 높은 공간시를 얻기 위해 각 양극세포가 하나의 광수용체로부터 신호를 받지만, 망막 주변부에서는 양극세포가 여러 개의 망막광수용체로부터 신호를 받아 통합한다.

② 시신경

망막신경절세포에서 시작된 축삭은 시신경유두에 모인 후 공막을 뚫고 안구 밖으로 나와 시신경을 이룬다. 황반에서 시작한 축삭들은 시신경유두 이측에 쐐기 모양으로 들어가며, 시신경이 시신경교차에 가까이 갈수록 황반부 섬유들은 시신경 중앙에 위치하고 망막의 다른 부위에서 오는 섬유들도 각각 망막에 해당하는 부위를 차지한다.

시신경은 다른 뇌신경과 달리 중추신경계의 일부이다. 시신경의 축삭은 희소돌기아교세포oligodendrocyte의 의해서 수초가 형성되어 있고, 대개 120만 개 정도이며 세포체는 망막신경절세포이다. 이 신경섬유들은 시신경교차에서 부분교차하여 외슬상체에서 끝난다. 시신경의 길이는 50 ㎜ 정도이며 안구내, 안와내, 시신경관내, 그리고 두개내로 나뉜다. 안구내 부위는 대략 1 ㎜ 정도이며 사상판을 기준으로 앞부분과 사상판 부분으로 나눌 수 있다. 안와내 부위는 25 ㎜ 길이이며 시신경관내 부위는 대략 10 ㎜ 정도이다. 한편 두개내 부위는 10 ㎜이다. 이후 양안의 망막 비측에서 오는 신경섬유는 시신경교차에서 반대 시각로로 교차하고, 이측에서 오는 신경섬유는 같은 쪽 시각로로 진행한다. 시신경교차에서는 200만 개 넘는 섬유들이 있으며 교차 및 비교차 섬유는 53:47로 교차하는 섬유가 더 많다.

③ 가쪽무릎체

가쪽무릎체Lateral geniculate body는 시상의 일부분이며, 같은 쪽 망막 황반부의 이측에서 오는 신경섬유와 반대쪽 망막 황반부의 비측에서는 오는 신경섬유가 모여서 이루어진 구조물이다. 가쪽무릎체는 등쪽과 배쪽 핵으로 나누어지고 총 여섯 핵의 층으로 구성되어 있다. 같은 쪽 눈에서 오는 신경섬유는 2, 3, 5층으로 가고 반대쪽눈에서 오는 신경섬유는 1, 4, 6층으로 간다. 1, 2층은 큰 세포magnocellular layer를 가지고 있고, 3, 4, 5, 6층은 작은 세포parvocellular layer를 가지고 있다. 큰 세포는 망막의 큰 망막신경절세포에서 오는 섬유와 시냅스를 이루고, 작은 세포는 망막의 작은 망막신경절세포의 시냅스를 이룬다. 작은 망막신경절세포는 주로 황반에서 시작하며 정교한 이미지를 전달하며, 큰 망막신경절세포는 황반주변에 위치하며 큰 형태나 운동 이미지를 전달한다. 가쪽무릎체는 주로 망막신경절세포와 시피질로 가는 슬상세포, 가쪽무릎체에 국한된 슬상세포, 시피질로부터 오는 축삭과 뇌의 다른 부위에서 오는 신경섬유이다. 시삭을 통해서 가쪽무릎체로 들어오는 신경섬유의 수는 슬상세포의 수와 비슷해서 대개 1:1일 것으로 추정된다. 그 밖에 선조피질과 상구, 중뇌의 덮개앞핵, 뇌간 이외의 핵에서도 가쪽무릎체로 구심성 신경섬유를 보낸다. 이렇게 망막에서 가쪽무릎체로 들어온 자극은 슬상조거로geniculocalcarine tract를 통해서 선조피질의 4층으로 간다.

④ 시각로부채살

시각로부채살optic radiation은 외슬상체에서 일차 시피질로 연결되어 반구의 교차는 없다. 시각로부채살은 외시상층을 지나가며, 가운데, 상, 하측의 세 부분으로 나누어진다. 가운데 부분은 황반에서 오는 신경섬유로 상측과 하측 부분 사이에 위치해 있고 후두엽의 후극에 투사한다. 상측 부분은 상부 망막에서 오는 신경섬유를 포함하며 외슬상체의 내측으로부터 와서 후두엽의 조거열의 상측에 투사하며, 하측 부분은 하부 망막에서 나오는 신경섬유를 포함하며 외슬상체의 외측부에서 나와 측두엽 안에 있는 가쪽뇌실의 하측 모서리를 돌면서 Meyer고리를 형성한 후 조거열의 하측으로 간다.

⑤ 선조피질 및 이차피질시각영역

인간에서 일차시피질은 조거열의 상측과 하측에 위치해 있고 흰 선상의 줄로 보이기 때문에 선조피질striate cortex이라 불린다. 선조피질은 Brodmann영역 17로 불리고 시각영역 V1이라고도 한다. 대뇌반구의 후극을 포함한 후두엽의 내면으로 앞으로는 두정후두엽까지 이른다. V1은 전체 뇌피질의 3.5%를 차지하며 여섯 층으로 나눈다.

후두엽의 후극부는 망막의 중심와에서 오는 신호가 차지하고 앞쪽으로 갈수록 주변부 망막에서 오는 신경섬유가 차지한다. 중심 10° 시야는 후부 선조피질의 50%를 차지하고 중심 30도 시야는 선조피질의 80%를 차지한다. 따라서, 24-30° 시야 검사를 하면 80-83%의 선조피질 기능을 검사하게 되므로 자동시야검사법만으로도 신경안과적 시야결손을 충분히 검사할 수 있다.

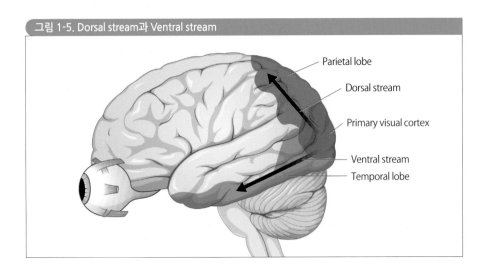

그림 1-5. Dorsal stream과 Ventral stream

이차 피질 시각영역은 크게 배쪽 영역과 등쪽 영역으로 분류할 수 있다. 등쪽 영역은 'where', 즉 공간에 대한 인지를 담당하며 안구 운동을 조절하는 뇌 영역과 연결된다. 최근 연구에서는 등쪽 영역이 'how' 공간에 대한 행동을 준비하는 것에도 관여한다고 알려져 있다. 한편 배쪽 영역은 'what'을 담당하며 시자극을 분류하여 인식하는 일을 담당하는 것으로 알려져 있다(그림 1-5).

6 안구운동 고유수용성감각기 Ocular Motor Proprioception

유인원의 외안근에는 고유수용성감각기proprioception가 존재하며, 외안근의 고유수용성감각기는 감각운동sensorimotor 기관으로 안구 운동에 관여하는 것으로 알려져 있다. 고유수용체감각기에 이상이 있는 환자를 관찰한 결과 고유수용체감각기와 중추신경계 사이의 상호 작용이 있는 것으로 추정해볼 수 있어서, 외안근의 고유수용성감각기의 이상이 발생할 경우 안구운동장애가 발생할 가능성 있다고 예상하고 있다. 외안근에 존재하는 고유수용체감각기와 안운동 사이의 연관성에 논란은 있지만, 인간의 안운동체계에는 안운동을 관장하는 중추신경계와 외안근에 존재하는 고유수용감각기 사이에는 분명 어떤 연결고리가 있을 것으로 예상하고 있다.

인간에서는 근방추muscle spindle가 영아기에는 외안근의 근위부와 원위부에 관찰되며, 성인에서는 외안근의 안와층과 안구층 사이에서 관찰된다. 한편, 인간 외안근에는 울타리배열종말palisade endings이라는 미세구조물이 외안근과 안구가 연결되는 근인대에 존재하며, 외안근 섬유 중에서도 안와층 non-twitch 근섬유에 주로 존재한다. 울타리배열종말은 인간 외안근의 주요 고유 감각수용기로 알려져 있으며, 원숭이를 이용한 동물연구에서는 삼차신경을 통해 외안근의 감각 정보를 대뇌로 전달하는 것으로 밝혀졌다. 이후 여러 동물연구를 통해서 외안근의 각 층에는 각각의 고유수용체가 존재하며, 이 수용체를 통해 중추신경계로 근 감각 정보를 전달하여 안운동을 조절해 정보를 제공하는 것으로 생각하고 있다. 한편, 울타리배열종말에서는 근 수축 감각정보를 근육에 분지하는 운동신경에 바로 전달하여 안운동을 더 정교하게 조절하는 데 기능을 하는 것을 생각하고 있다(그림 1-6).

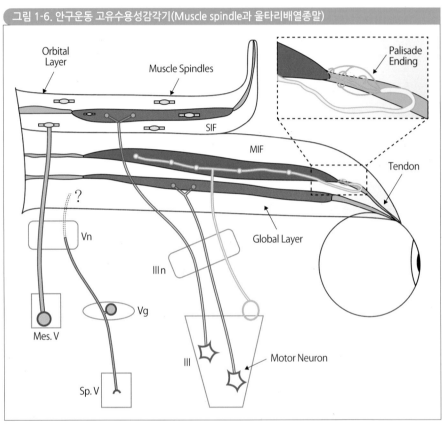

그림 1-6. 안구운동 고유수용성감각기(Muscle spindle과 울타리배열종말)

SIF; singly innervated fibers, MIF; multiple innervated fibers, III; Oculomotor nucleus, IIIn; third cranial nerve, Vn; trigeminal nerve, Vg; trigeminal ganglion, Sp. V; spinal trigeminal nucleus, Mes. V; mesencephalic trigeminal nucleus.

[참고문헌]

1. 장봉린. 신경안과학. In: 신경안과학. 3rd ed. 서울: 일조각; 2017:210-22.

2. Leigh J ZD. The neurology of Eye Movements. 4th ed. New York: Oxford University Press; 2015.

3. Richard, Hertle; Dell'Osso L. Infantile nystagmus. In: Nystagmus in infancy and childhood. New York, NY: Oxford University Press; 2013:21-102.

02

영아안진증후군

안진의 병인

정재호

영아안진Infantile ystagmus은 이른 시기부터 불수의적인 눈떨림으로 인하여 주시 이상이 나타나는 질환이다. 아주 이른 시기에 발생하므로 선천안진이라고 불리기도 하였으나 출생 직후에 발생하는 경우보다는 생후 8-12주 사이에 첫 증상이 주로 관찰되므로 선천이란 용어보다는 영아안진이라고 부르는 것이 더 적합하다.[1] 안진은 주시하고 있을 때 느린 눈운동이 발생하면서 주시 방향에서 벗어난 후 빠른 운동으로 주시방향으로 되돌아가는 운동을 반복하게 된다. 만약 벗어나고 회복하는 운동이 비슷한 속도로 나타날 경우 시계추안진pendular nystagmus이라고 부르며 벗어나는 속도에 비해 회복하는 안운동 속도가 빠른 경우 격동안진jerky nystagmus 이라고 한다. 후천적으로 발생하는 안진의 경우 신경계이상이 존재하는 경우가 많지만 영아안진의 경우 후천안진과 달리 특정한 해부학적 위치 이상이 존재하지 않는 경우가 대부분이다.[2,3] 과거에는 영아안진이 구심성 시각경로 이상에 의해 발생하는 경우도 있다고 생각하여 운동안진과 감각안진으로 분류하였다. 그러나 Dell'Osso 등은 구심성 시각경로 이상 유무가 영아안진을 분류하는 데 필수요건은 아니므로 구심성 시각계 이상을 기준으로 영안안진을 분류하는 것에 반대하였다. 또한, 특정한 신경학적 이상이 없는 경우가 대부분이어서 특발성 안진이란 용어를 사용하기도 하였지만, 안운동 체계의 발달이상이 주요원인으로 추정되고 있어 특발성이란 용어도 적절하지 않다고 주장하였다.[1] 2001년 Classification of Eye Movement Abnormalities and Strabismus (CEMAS) 모임에서는 영아안진의 일반적인 특징을 아래와 같이 정의하고 있다.[4] 영아기에 발생하며 증속형파형을 특징으로 한다. 동향안진 conjugate nystagmus, 수평-회선 안진이며 주시시 안진이 증가한다. 안진의 형태는 진자형pedular에서 격동형jerk으로 변화하기도 하며, 가족력이 있는 경우가 비교적 흔하다. 구심성이상이 있는 경우는 드물며, 굴절이상 혹은 사시와 동반되기도 한다.[4]

영아안진의 병인에 대해서는 현재까지도 명확하게 밝혀져 있지 않다. 특징적인 안진 파형으로 영아안진 진단에 도움을 얻고자 하였지만, 동일한 환자에서도 주시 방향에 따라 안진파형이 바뀌는 경우가 있어 파형을 바탕으로 영아안진을 설명하고 분류하는 데에는 한계가 있다. 최근에는, 영아안진은 안운동체계 발달이상이나 구심성 시각경로 이상 등의 여러 원인에 의해 발생하는 유사한 임상 표현형으로 생각하고 있다.

먼저 안운동체계를 구성하는 신속운동, 원활추종운동, 전정안반사VOR, 혹은 눈운동성optokinetic movement 이상으로 영아안진이 발생한다는 주장들이 있다.[5-7] 특히, 원활추종운동이 영안안진 발생의 주요 원인이라는 가설이 있다. 즉, 신속운동 이상으로 안진이 발생한다면 진자안진이나 격동안진을 설명을 할 수 있으나 정지구역null zone이 발생하는 것을 설명할 수 없다.[8] 한편, 원활추종운동의 결함이라고 하면 격동안진의 발생을 설명하는 데 어려움이 발생한다.[7] 결국 안진은 안운동체계 중 단일 안운동 이상 가능성보다는 안운동 통합 중추의 결함으로 발생한다고 추정하고 있다. 안운동 통합 중추는 주시를 위해 눈 이동을 시작하면서 적절한 속도로 이동을 완료한 후 이동한 위치를 유지하는 신호를 계산하고 명령하는 기능을 가지고 있다. 해부학적으로는 뇌간의 전설하핵prepositus hypoglossi nucleus과 내측전정신경핵medial vestibular nucleus 주위에 위치한다고 추정하고 있다.[9] 안진은 안운동 통합 중추의 누수leaky integrator에 의해 발생하는 비정상적인 흥분성 자극으로 발생한다고 생각하고 있다. 이 모델을 실제 환자의 안진파형과 연결시켜 보면 많은 부분을 설명할 수 있으며 영아안진에서 관찰할 수 있는 reversed OKN이나 reversed 추종운동을 설명하는 데에도 도움을 얻을 수 있었다.[10,11] 또한, 소뇌의 안

운동 조절 기능 또한 영아안진의 발생에 영향을 끼친다는 가설도 제시되었다.[10]

영아안진 발생에 관한 또 다른 가설로는 외안근의 고유감각기 이상이다. 안진으로 인한 고개돌림을 수술하고 나면 정지구역의 이동뿐만 아니라 정지구역의 범위가 넓어지고 안진의 진폭이 감소하는 것을 관찰하였다.[12] 실제 간단한 수평근절단후 재부착 수술만으로도 이와 비슷한 효과를 얻었다.[13] 울타리배열종말Palisade endings이라는 외안근 고유감각기는 망막 신경절세포와 유사한 양극성세포의 형태를 띠고 있으며 구심성으로 근수축 신호를 전달하는 역할을 한다고 여겨진다.[14-16] 인간 외안근에 대한 조직학적 연구를 보면 영아안진 환자에서는 외안근 근섬유와 신경근접합부의 밀도가 감소되어 있고, 근인대 접합부에서의 울타리배열종말의 모양 또한 정상과 차이가 있다고 알려져 있다.[17] 또한, 울타리배열종말이 주로 분포하는 근섬유의 운동 뉴런은 앞에서 살펴본 안운동 통합중추에서 그 신호를 전달받는다.[18] 따라서 영아안진은 안운동 통합 중추의 발달이상으로 주시 운동을 시작하고 유지하는 기능 결함이 있거나, 혹은 안근육의 고유 감각을 모니터링하는 고유수용체의 이상으로 정확한 안운동 피드백이 안운동 통합 중추로 전달하지 않으면서 발생한다고 추정해 볼 수 있다.

백 년 전부터 구심성 시각 이상이 영아안진의 원인이라는 가설들이 제시되었다. 하지만 구심성 시각경로 이상이 눈떨림의 필수요건은 아니라는 반론에 의해 구심성 시각이상이 영아안진의 병인이라는 가설은 영아안진의 병인에 대한 주류 가설에서 떨어져 있었다. 그러나 정상 망막구조를 가진 운동성 영아안진의 주요 원인 유전자라고 알려졌던 *FRMD7* 환자에서 황반 저형성증과 시신경유두 이상이 최근 관찰되면서 시각경로 이상이 영아안진 병인에 있어 다시 관심을 얻게 되었다.[19,20] 또한 원숭이 실험에서 영아기에 시각박탈을 한 경우 안진이 발생하였고, 양안 선천 백내장 환자에서 조기 백내장 수술 후 안진의 호전을 보이는 것을 볼 때 영아안진 발병에서 구심성 시각경로의 중요성이 다시 대두되었다.[21,22] 한 연구 그룹에서는 영아안진은 비정상적인 시각계 발달을 보상하기 위한 안운동이라고 주장하였다.[23] 즉 망막기능이상으로 인하여 대비감도의 저하가 발생한 경우 중심

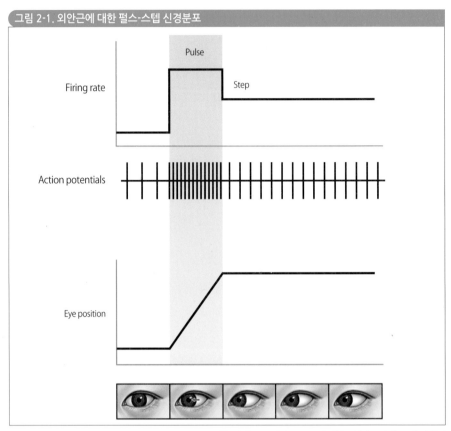

그림 2-1. 외안근에 대한 펄스-스텝 신경분포

외안근에 대한 펄스-스텝 신경분포. 안구운동이 시작할 때 운동신경계는 고주파 흥분파(펄스단계)를 출력하여 안와조직의 저항을 이겨내고 안구를 원하는 위치로 이동시킨다. 새 위치로 이동 후 안구위치를 유지하기 위해 긴 장파(스텝단계)를 출력한다. 한편, 안구운동계는 이러한 펄스단계에서 스텝단계로의 이동을 계산하여 원활한 변화가 이루어지도록 한다.

와로 주시하고 사물을 따라보기 위한 적절한 감도 형성을 위해 눈떨림이 발생한다고 주장하였다. 또한 이 연구그룹에서는 출생 후 초기에 이런 보상 발달이 발생하는 민감기가 존재한다고도 주장하였다.[23,24] Brodsky는 시각이상과 영아안진과 연관성에 대해 비교 진화론적 관점으로 설명하고 있다. 측면에 눈이 위치한 하위동물에서는 보조시각계Accessory optic system, AOS를 통해 넓은 시야를 확보하고 전정기관과 상호 작용을 한다.[25] 이 기관은 인간에서도 작동하는 것으로 밝혀져 있으며 양안 망막 코쪽 절반의 신경은 반대쪽 대뇌 피질하에 존재하는 시신경핵과 등쪽종말핵모임 nucleus of the optic tract and dorsal terminal nucleus complex (NOT-DTN)으로 전달된다. 시신경핵과 등쪽종말핵모임의 뉴런은 단안에서 오는 정보를 분석하며 코쪽 방향의 느린 자극에 반응을 한다. 인간의 보조시각계는 생후 첫 2개월 동안 시각경로가 성숙하면서 억제된다. 보조시각계의 억제는 모든 방향으로의 원활추종운동 발달을 위해 필요하다.[26] 그러나 보조시각계에 대한 억제가 불완전하게 이루어질 경우 보조시각계가 안운동에서 우세해지게 되면 원활추종운동과 주시를 위한 optokinetic 간의 불일치가 발생한다. 즉, 시각 경로의 발달 이상으로 인하여 억제되어야 하는 하위 안운동이 발현되면서 원활추종운동이 방향에 따라 다른 강도의 신호가 발생하고 이로 인하여 optokinetic 반응 또한 이상이 생기면서 안진이 발생한다는 가설이다.[27-29] 시신경핵과 등쪽종말핵모임을 바탕으로 한 이 가설은 정지구역을 설명할 수 있는데, 시신경핵과 등쪽종말핵모임은 서로 반대 쪽 눈의 코 쪽 자극에 대해 서로 각각 작동하지만 만약 양측의 자극이 비슷해질 경우 시신경핵과 등쪽종말핵모임에서의 신호생성이 비슷해지고 이로 인하여 눈떨림이 감소한다고 생각해 볼 수 있다. 한편, 양안의 자극의 비대칭이 발생할 경우 눈떨림의 방향이 정면이 아닌 측면에서 발생할 수 있다는 것도 설명이 가능하다.[28,29]

그림 2-2. 영안안진의 발생기전

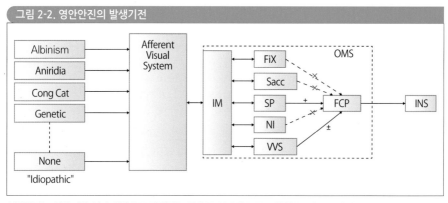

영안안진는 영아기에 여러 원인으로 발생하는 안운동 이상의 공통 표현형으로 볼 수 있다.

선천백내장(Cong Cat), 최종경로(Final commom pathway, FCP), 주시(Fixation system, Fix), 내부모니터(Internal monitor, IM), 신경연결(Neural integrator, NI), 안구운동계(Ocular motor system, OMS), 빠른눈운동(Saccadic system, Sacc), 느린따라보기운동(Smooth pursit subsystem, SP), 전정시기관(Visual vestibular subsystem, VVS), 영안안진을 발생시키지 않음(X), 영안안진에 영향을 끼침(+±)

결론적으로 영아안진 발생의 원인은 불명확하지만, 최근까지의 연구결과를 종합해보자면 영아안진은 안운동체계 발달 민감기에 안운동체계 혹은 구심성시각경로 이상 등의 여러 원인들로 인하여 발생하는 안운동 결함이 유사한 형태로 발생하는 현상으로 생각된다. 한편, 최근 분자생물학의 발전으로 영아안진의 발생에 대한 새로운 접근들이 시도되고 있어 영아안진의 발생에 대해 보다 깊은 이해의 시대로 나아갈 것으로 기대된다.

|참고문헌|

1. Richard, Hertle; Dell'Osso L. Infantile nystagmus. In: Nystagmus in infancy and childhood. New York, NY: Oxford University Press; 2013:21–102.

2. Zee DS, Yamazaki A, Butler PH, Gücer G. Effects of ablation of flocculus and paraflocculus of eye movements in primate. J Neurophysiol 1981;46: 878–99.

3. Halmagyi GM, Hoyt WF. See-saw nystagmus due to unilateral mesodiencephalic lesion. J Clin Neuroophthalmol 1991;11:79–84.

4. CEMAS Working Group. A National Eye Institute sponsored workshop and publication on the classification of eye movement abnormalities and strabismus (CEMAS). In: Bethesda: The National Eye Institute Publications.

5. Kurzan R, Buttner U. Smooth pursuit mechanisms in congenital nystagmus. Neuro-Ophthalmology 1989;9:313–25.

6. Harris CM. Problems in modelling congenital nystagmus: Towards a new model. In: ; 1995:239–53.

7. Jacobs JB, Dell'Osso LF. Congenital nystagmus: hypotheses for its genesis and complex waveforms within a behavioral ocular motor system model. J Vis 2004;4:604–25.

8. Akman OE, Broomhead DS, Abadi R V, Clement RA. Eye movement instabilities and nystagmus can be predicted by a nonlinear dynamics model of the saccadic system. J Math Biol 2005;51:661–94.

9. Leigh RJ ZD. The Neurology of Eye Movements. 5th ed. New York, NY: Oxford University Press

10. Barreiro AK, Bronski JC, Anastasio TJ. Bifurcation theory explains waveform variability in a congenital eye movement disorder. J Comput Neurosci 2009;26:321–9.

11. Optican LM, Zee DS. A hypothetical explanation of congenital nystagmus. Biol Cybern 1984;50:119–34.

12. Dell'Osso LF, Flynn JT. Congenital nystagmus surgery. A quantitative evaluation of the effects. Arch Ophthalmol (Chicago, Ill 1960) 1979;97:462–9.

13. Dell'Osso LF, Hertle RW, Williams RW, Jacobs JB. A new surgery for congenital nystagmus: effects of tenotomy on an achiasmatic canine and the role of extraocular proprioception. J AAPOS Off Publ Am Assoc Pediatr Ophthalmol Strabismus 1999;3:166–82.

14. Richmond FJ, Johnston WS, Baker RS, Steinbach MJ. Palisade endings in human extraocular muscles. Invest Ophthalmol Vis Sci 1984;25:471-6.

15. Lienbacher K, Mustari M, Hess B, et al. Is there any sense in the Palisade endings of eye muscles? Ann N Y Acad Sci 2011;1233:1-7.

16. Büttner-Ennever JA, Horn AK, Scherberger H, D'Ascanio P. Motoneurons of twitch and nontwitch extraocular muscle fibers in the abducens, trochlear, and oculomotor nuclei of monkeys. J Comp Neurol 2001;438:318-35.

17. Hertle RW, Chan C-C, Galita DA, et al. Neuroanatomy of the extraocular muscle tendon enthesis in macaque, normal human, and patients with congenital nystagmus. J AAPOS Off Publ Am Assoc Pediatr Ophthalmol Strabismus 2002;6:319-27.

18. Dell'Osso LF, Wang ZI. Extraocular proprioception and new treatments for infantile nystagmus syndrome. Prog Brain Res 2008;171:67-75.

19. Thomas MG, Crosier M, Lindsay S, et al. Abnormal retinal development associated with FRMD7 mutations. Hum Mol Genet 2014;23:4086-93.

20. Choi J-H, Jung J-H, Oh EH, et al. Genotype and Phenotype Spectrum of FRMD7-Associated Infantile Nystagmus Syndrome. Invest Ophthalmol Vis Sci 2018;59:3181-8.

21. Tusa RJ, Repka MX, Smith CB, Herdman SJ. Early visual deprivation results in persistent strabismus and nystagmus in monkeys. Invest Ophthalmol Vis Sci 1991;32:134-41.

22. Yagasaki T, Sato M, Awaya S, Nakamura N. Changes in nystagmus after simultaneous surgery for bilateral congenital cataracts. Jpn J Ophthalmol 1993;37:330-8.

23. Harris CM, Berry DL. A Distal Model of Congenital Nystagmus as Nonlinear Adaptive Oscillations. Nonlinear Dyn 2006;44:367-80.

24. Kelly DH. Visual processing of moving stimuli. J Opt Soc Am A 1985;2:216-25.

25. Giolli RA, Blanks RHI, Lui F. The accessory optic system: basic organization with an update on connectivity, neurochemistry, and function. Prog Brain Res 2006;151:407-40.

26. Fredericks CA, Giolli RA, Blanks RH, Sadun AA. The human accessory optic system. Brain Res 1988;454:116-22.

27. Braddick O, Atkinson J, Wattam-Bell J. Normal and anomalous development of visual motion processing: motion coherence and "dorsal-stream vulnerability". Neuropsychologia 2003;41:1769-84.

28. Brodsky MC, Dell'Osso LF. A unifying neurologic mechanism for infantile nystagmus. JAMA Ophthalmol 2014;132:761-8.

29. Brodsky MC. Essential Infantile Esotropia: Potential Pathogenetic Role of Extended Subcortical Neuroplasticity. Invest Ophthalmol Vis Sci 2018;59: 1964-8.

영아안진증후군의 파형

김응수

① 서론

안진을 분류하는 체계는 연구자들마다 차이가 있다. 과거 선천안진congenital nystagmus의 경우는 최근 들어 영아안진infantile nystagmus으로 명명하는데 그 이유는 출생 시 안구운동이 불안정하고 출생 당시에는 안진이 없다가 수개월 내 발현되는 경우가 있으므로 선천성이라고 단정 짓기 어렵기 때문이다.[1] Gottlob[2]은 대부분 출생 후 5주까지는 안진이 관찰되지 않다가 시계추안진은 약 8주, 격동안진은 10주경 나타나기 시작하며 7–12개월에 영아안진에서 보이는 특징적인 소견들이 완성된다고 하였다.

이러한 안진의 명명에 대한 다양성을 고려하여 Classification of Eye Movement Abnormalities and Strabismus (CEMAS) working group에서는 병적안진을 크게 9개의 형태로 분류하여 명명하였고 이 단원에서는 CEMAS의 명명법에 따라 영아안진증후군Infantile nystagmus syndrome, INS을 사용하였다.[3]

● CEMAS의 병적안진 명명법

1. 영아안진증후군Infantile Nystagmus Syndrome (INS)

2. 융합발육불량안진증후군Fusion Maldevelopment Nystagmus Syndrome (FMNS)

3. 끄덕임연축증후군Spasmus Nutans Syndrome

4. 전정안진Vestibular Nystagmus
   a. 말초성전정불균형Peripheral Vestibular Imbalance
   b. 중추성전정불균형Central Vestibular Imbalance
   c. 중추성전정불안정Central Vestibular Instability

5. 주시유지결핍안진Gaze-Holding Deficiency Nystagmus
   a. 편심주시안진Eccentric Gaze Nystagmus
   b. 반동안진Rebound Nystagmus
   c. 주시불안정안진Gaze-Instability Nystagmus ("Run-Away")

6. 시력손실안진Vision Loss Nystagmus
   a. 시신경교차전Pre-chiasmal
   b. 시신경교차Chiasmal
   c. 시신경교차후Post-chiasmal

7. 기타시계추안진과 중추수초질환과 관련된 안진Other Pendular Nystagmus and Nystagmus Associated with Disease of Central Myelin
   a. 다발경화증Multiple Sclerosis, 펠리체우스−메르츠바허병Peliazaeus-Merzbacher disease, 코카인퍼옥시좀질환Cockayne's Perioxisomal disorders, 톨루엔남용Toluene abuse
   b. 구개떨림과 연관된 시계추안진Pendular Nystagmus Associated with Tremor of the Palate
   c. 휘플병과 관련된 시계추이향안진Pendular Vergence Nystagmus Associated with Whipple's Disease

8. 눈찌운동Ocular Bobbing (Typical and Atypical)

9. 눈꺼풀안진Lid Nystagmus

② 영아안진의 파형

영아시기에 나타나는 안진의 형태는 다양하다. Cogan은 영아시기에 발생하는 안진을 크게 4가지 형태로 시계추안진, 격동안진, 잠복안진, 주기교대안진Periodic alternating nystagmus, PAN으로 구분하였다(동영상 2-1, 2, 3).[4] 하지만 Cogan은 안진의 발생원인으로 시계추안진을 감각이상에 의한 원인으로 보았고 격동안진은 운동이상에 의한 원인으로 단정 지어 설명하는 한계를 보였다. Hertle과 Dell'Osso는 기존에 선천안진congenital nystagmus으로 명명했던 영아안진증후군과 잠복안진latent nystagmus으로 알려진 융합발육불량안진증후군Fusion maldevelopment nystagmus syndrome, FMNS, 끄덕임연축증후군의 시계추안진pendular nystagmus of the spasmus nutans syndrome, SNS으로 구분하였다.

동영상 2-1.
시계추안진

동영상 2-2.
격동안진

동영상 2-3.
주기교대안진

1) 안진의 방향

안진의 방향은 주로 빠르게 움직이는 방향으로 명명한다. 병리학적으로는 느린 운동이 병적반응이고 이를 원상복구하려는 빠른 운동이 발생하게 되나 격동안진의 경우 전통적으로 빠른 운동방향으로 명명하고 있다. 회선안진의 경우 시계방향 또는 반시계방향으로 표기하는데 이는 검사자가 보는 것과 환자의 입장과는 정반대 소견을 보이므로 좀 더 정확한 표현은 눈의 12시 방향이 귀쪽으로 움직이는지 코쪽으로 움직이는지 표기하는 것이 더 정확하다(**동영상 2-4**).

동영상 2-4. 회선안진

2) 안진의 속성

안진을 분석하고 기술하는 과정에서 관찰해야 하는 조건과 반응은 아래와 같다.[5]

① **양안성**binocularity: 단안 또는 양안

② **양상**: 격동안진 또는 시계추안진, 안진의 방향 등

③ **속도**: 저속기의 속도

④ **빈도**: 초당 움직이는 횟수(Hz)

⑤ **진폭**: 움직이는 정도를 각도(°)로 표시

⑥ **강도**: 진폭과 빈도를 포함한 표현

⑦ **정지구역**null point

⑧ **시차변화**: 지속되는 양상인지, 간헐적인지, 시간에 따라 변하는지

⑨ **발현나이**: 선천, 영아, 후천 등

⑩ **일치성**conjugacy: 일치conjugate는 두 눈이 동일한 정도로 같은 방향으로 움직인다. 비일치 disconjugate는 방향은 동일한데 속도와 진폭이 다른 경우를 말하며 이향성disjunctive은 방향이 다른 경우를 말한다. 두 눈의 안진 양상, 진폭이 다른 것을 통칭하여 해리성dissociated안진이라고도 부른다. 대표적으로 핵간안근마비internuclear ophthalmoplegia, INO에서 나타나는 외전안진abducting nystagmus을 들 수 있다.

⑪ **이상머리위치**anomalous head posture: 고개돌림face turn, 머리기울임head tilt, 혹은 턱올림 혹은 내림chin up or down 등

⑫ **눈모음효과**: 눈모음에 의해 안진의 변화 유무near fix dampening

⑬ **주시**fixation**에 따른 변화**

⑭ **자극성 조작에 대한 반응**: 머리위치변화, 소리, 발살바Valsalva, 머리흔들기, 진동, 과호흡에 대한 변화

위의 기술방식에서 안진의 양안성, 방향이 수평인지, 수직인지, 회선인지, 혼합형인지 구분하고 주된 움직임 방향, 움직임의 빈도, 이상머리위치를 기술할 수 있다. 이 정도의 구분은 육안이나 세극등현미경검사로 어렵지 않게 관찰할 수 있다. 하지만 격동안진의 저속기가 증속형인지 감속형인지, 망막중심오목주시시간 foveation period이 있는지 없는지는 육안이나 세극등현미경검사로 파악하기 어렵기 때문에 비디오안진검사video nystagmography나 전기안진검사electrooculogram를 이용하여 파형을 분석해야 한다.

(1) 양안성

영아안진증후군은 모든 환자에서 양안에 나타난다. 끄덕임연축증후군은 단안으로 발생할 수 있으며, 영아시기에 단안 안진 혹은 안진의 진폭이 양안 비대칭적으로 관찰된다면 두개내 질환을 감별하기 위해 반드시 뇌영상촬영이 필요하다.[6]

(2) 양상

안진은 저속기와 고속기로 구분되며 저속기와 고속기가 구분이 되는 격동안진, 구분이 없이 저속기로만 구성된 시계추안진으로 분류한다. 저속기의 속도에 따라 증속형increasing velocity, 감속형decreasing velocity, 직선형linear으로 나뉜다.

1975년 Dell'Osso와 Daroff는 영아안진의 파형을 12가지 형태로 분석하여 보고하였다.[7] 12가지 파형을 크게 시계추안진, 한방향성 격동안진, 이중방향성 격동안진과 이중격동안진으로 구분하였으며 망막중심오목주시시간의 유무에 따라 세분하였다.

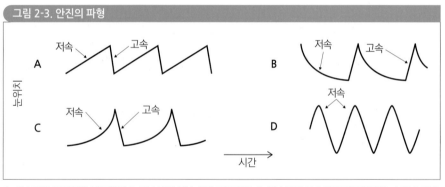

그림 2-3. 안진의 파형

A. 저속기가 직선형인 격동안진 B. 저속기가 감속형인 격동안진 C. 저속기가 증속형인 격동안진 D. 시계추안진

하지만 이러한 12형태의 분류는 다소 복잡하게 느껴질 수 있어 간략하게 시계추안진, 망막중심오목주시시간을 갖는 시계추안진, 가성사이클로이드, 격동안진, 망막중심오목주시시간을 갖는 격동안진과 같이 5가지 형태로 나누기도 한다.[8,9]

격동안진은 수평으로 떨리는 경우가 흔하고 회선을 보이는 경우와 이런 형태가 혼합되어 나타날 수 있다(증례-1). 영아안진증후군에서 중요한 요소는 저속기의 형태가 증속형을 보인다는 점이다(증례-2). 주의해야 하는 것은 증속형 저속기를 갖는 격동안진은 모두 영아안진증후군으로 볼 수는 없으며 반대로 영아안진증후

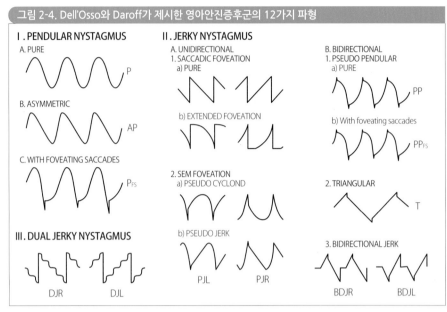

그림 2-4. Dell'Osso와 Daroff가 제시한 영아안진증후군의 12가지 파형

Ⅰ-A) 완전한 시계추안진: 시계추안진은 신속운동이 포함되지 않는 안진이다.
Ⅰ-B) 비대칭 시계추안진: 비대칭적인 시계추안진을 보이는 경우
Ⅰ-C) 망막중심오목주시시간을 갖는 시계추안진: 일시적인 망막중심오목주시시간을 갖는 시계추안진
Ⅱ-A-1-a) 한방향 완전한 격동안진: 느리게 미끌어진 후 빠르게 돌아오는 신속운동을 갖는 안진
Ⅱ-A-1-b) 한방향 망막중심오목주시시간을 갖는 격동안진
Ⅱ-A-2-a) 한방향 가성 사이클로이드(cycloid) 격동안진
Ⅱ-A-2-b) 한방향 가성 격동안진
Ⅱ-B-1-a) 양방향 가성 시계추안진형 순수 격동안진
Ⅱ-B-1-b) 양방향 망막중심오목주시시간을 갖는 가성 시계추안진형 격동안진
Ⅱ-B-2) 양방향 삼각 격동안진
Ⅱ-B-3) 양방향 격동안진
Ⅲ) 이중 격동안진

군에서 보이는 격동안진은 모두 증속형저속기를 가지고 있다고 말할 수 없다. 하지만 증속형저속기를 갖는 격동안진이 영아안진 이외의 질환에서 나타나는 경우는 극히 드물다.[10]

영아안진증후군은 다양한 형태의 파형으로 나타난다. 대상환자의 연령대가 1개월부터 71세까지 매우 폭넓은 환자를 대상으로 한 Abadi와 Bjerre[8]의 연구에서는 망막중심오목주시시간을 갖는 수평격동안진(27%)이 가장 흔하다고 하였다. Theo-

증례-1. 시신경형성부전 환자에서 관찰되는 회선안진

17세 남자가 눈떨림을 주소로 의뢰되었다. 교정시력은 오른눈 (0.5) plano -1.50Dcyl A175°였으며 왼눈 (0.2) -0.25Dsph -1.75 Dcyl A15°였다. 안과검사상 양안의 심한 시신경형성부전이 확인되었으나 그 외 이상소견은 보이지 않았다.

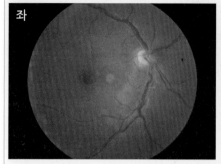 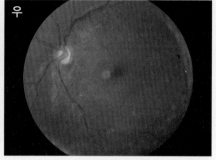

안진의 양상은 회선눈떨림이 관찰되었으며 다소 좌안에서 진폭이 큰 비일치성양상으로 나타났다 (동영상 2-4). 사시는 없었으며 15도 좌측 고개돌림이 확인되었다.

동영상 2-4. 회선안진

증례-2. 63세 GPR143 c.733C > T; p. (Arg245Ter)
돌연변이를 가진 백색증환자에서 보이는 영아눈떨림증후군

63세 남자가 눈떨림을 주소로 내원하였다. 어려서부터 눈떨림이 있었으며 동요시는 없었다. 최대교정시력은 양안 모두 0.4로 측정되었다. 홍채의 저색소증(A)이 관찰되었고 안저반사가 다소 밝았으며(B) 빛간섭단층촬영에서 망막중심오목의 저형성이 보였다(C).

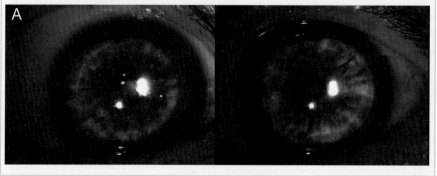

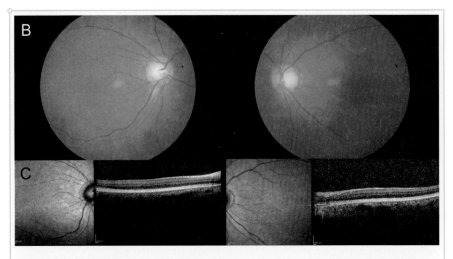

비디오안진검사를 이용하여 측정한 안진은 저속기가 증속형인 우측격동안진이 관찰되었다.

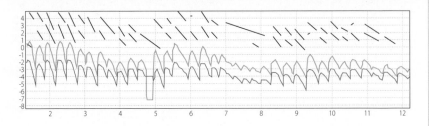

이 환자는 유전자검사에서 GPR143 c.733C > T;p.(Arg245Ter) 돌연변이가 확인되었다.

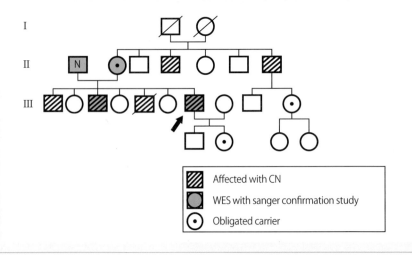

영아안진증후군 파형의 특징

양안의 진폭이 비슷함

안진의 방향이 수평이나 회선이 일반적이고 수직은 드묾

시계추안진이거나 증속형저속기를 갖는 격동안진

주시하거나 집중하는 경우 심해짐

눈모음convergence으로 파형이 줄어듦

주시방향에 따라 방향이 달라짐gaze modulated nystagmus

주시 방향에 따라 회선, 수직, 수평 형태가 달라지지 않음uniplanar

망막중심오목주시시간을 가지고 있음

비대칭적으로 주기없이 변하는 것이 관찰됨asymmetric aperiodic alteration possible, Baclofen ineffective

수면 시나 시자극이 제한되는 경우 사라짐

잠복안진이 중첩되어 있을 수 있음

시운동성안진optokinetic nystagmus, OKN자극에 역반응이 나타남

이상머리위치anomalous head posture: 고개떨림이나 고개돌림이 있을 수 있음

진동시oscillopsia: 매우 드문 경우를 제외하고 보이지 않음

그림 2-5. 나이에 따른 안진의 빈도

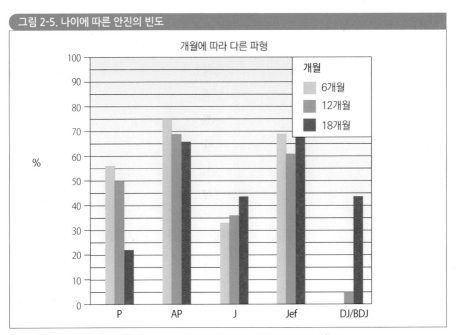

개월에 따라 다른 파형

나이가 들면서 시계추안진보다는 격동안진의 빈도가 증가하는 것을 알 수 있다.[14]

P: pendular, AP: atypical pendular, J: Jerky, Jef: Jerky with extended foveation, DJ/BDJ: dual jerk, bidirectional jerk dorou와 Clement의 연구에서는 가장 흔한 형태가 확장된 중심오목주시시간을 갖는 격동안진이었으며 다음으로 격동안진, 가성사이클로이드 순으로 나타났다.[9] 국내보고로는 33명 중 격동안진 17명, 시계추안진 10명, 혼합형태 6명으로 보고하였다.[11]

좀 더 연령대를 세분화한 연구로 Reinecke 등[12]은 6개월 이하에서 삼각형안진trian-gular nystagmus이 70%로 가장 흔하고 다음으로 시계추안진(18%)과 격동안진(12%)으로 보고하였다. 하지만 시간이 흐르면서 삼각형안진은 점점 줄어들고 2세에는 거의 사라져 시계추안진과 격동안진이 흔한 형태로 변한다. 하지만 Hertel 등[13]은 6개월 이하의 아이들에서 시계추안진이 가장 흔하다고 하였으며 이러한 연구의 차이는 검사장비의 민감도에 따라 다를 수 있다고 하였다. 즉, 파형측정의 정확도

증례-3. 시소안진이 혼재된 24세 영아안진증후군환자

13세 여아가 눈떨림을 주소로 의뢰되었다. 내원당시 최대교정시력은 오른눈 (0.4) -1.00Dsph, +1.25Dcyl A95°, 왼눈 (0.4) -1.25Dsph, +2.25Dcyl A75° 였으며 양안의 시신경의 크기가 작고 망막신경섬유층의 결손이 의심되는 소견을 보였다. 눈떨림으로 인해 빛간섭단층촬영은 시행하지 못하였다.

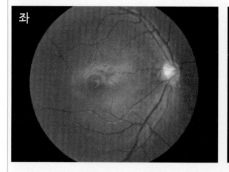
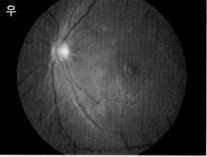

환자는 정면주시에서 시소안진이 확인되었으며 뇌영상검사상 이상소견은 관찰되지 않았다(동영상 2-5).

동영상 2-5. 시소안진

가 떨어지면 시계추안진이나 격동안진이 마치 삼각형안진으로 잘못 측정될 가능성이 있기 때문이다. 하지만 시간이 지나면서 안진의 양상이 바뀔 수 있음을 알고 있어야 하며 대체로 나이가 들수록 시계추안진보다 격동안진이 흔하게 나타난다 (그림 2-5).[14] 드물게는 시소안진 형태로도 나타난다(증례-3)

최근 유전학의 발달로 변이유전자가 밝혀짐에 따라 변이유전자에 따른 안진의 표현형에 대한 연구가 진행되고 있다. *FRMD7* 돌연변이를 갖는 영아안진증후군은 시계추안진이 가장 흔한 형태로 45.3%에서 나타났다.[15]

(3) 빈도와 진폭

3-6개월된 영아안진증후군의 빈도frequency는 두 눈으로 주시하는 경우 평균 3.3 Hz, 한눈으로 주시하는 경우 6.6 Hz로 한눈으로 주시하는 경우 안진이 더 빠르게 움직인다.[13] 나이가 들면서 빈도는 두 눈으로 주시하는 경우 2.86 Hz, 한 눈으로 주시할 때 4.57 Hz로 다소 줄어드는 양상을 보인다.[14] Abadi와 Bjerre[8]는 224명의 영아안진증후군환자(1개월부터 71세, 평균연령 27세)의 진폭은 0.2-15.7°였으며 0.5-8 Hz의 빈도를 보인다고 하였다. Theodorou와 Clement의 연구에서는 평균 진폭은 4.6° ± 3.37°, 평균 주기는 284.3 ms ± 67.1 ms로 나타났다.[9]

두 눈 간의 진폭차이도 19%에서 나타나며 이 또한 고령의 아이들에서는 33%로 다소 증가한 양상을 보인다.[14]

(4) 주시에 따른 변화

안진의 방향이 주시방향에 따라 달라지는 양상이 나타날 수 있으며 이를 주시조율gaze modulation이라고 한다. 즉, 우측 주시에서는 우측으로 튀는 격동안진을 보이다가 좌측방향을 주시할 때 좌측으로 튀는 격동안진이 나타나는 것을 말한다 (증례-4). 이는 알렉산더법칙Alexander's rule이나 브룬스안진Bruns nystagmus과는 다른 개념이다. 알렉산더법칙은 좌측방향으로 안진이 있는 경우 좌측 주시시에 진폭이 심해지고 우측 주시시에 줄어드는 양상으로 안진의 방향이 바뀌지는 않는다(동영상 2-7, 증례-5)

증례-4. 주시에 따른 방향의 변화를 보이는 24세 눈떨림 환자

24세 남자환자는 어릴 때부터 눈떨림을 가지고 있었으며 최근 들어 긴장하면 가끔 어지러운 증상이 나타나곤 하였다. 최대교정시력은 오른눈 (0.4) -3.00Dsph -0.75Dcyl A180°, 왼눈 (0.4) -2.50Dsph -1.00Dcyl A180° 였으며 안저검사상 특이소견 보이지 않았고 가족력은 없었다.

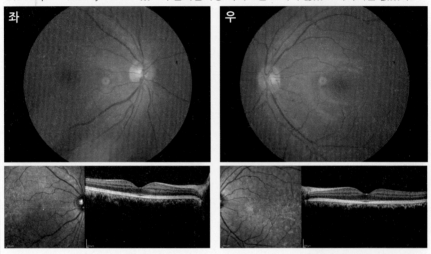

이상머리위치는 없었고 눈모음을 통해 안진이 줄이는 양상을 보였다.
정면주시에서는 좌측으로 움직이는 격동안진을 보였으나 오른쪽 주시에서는 오른쪽으로 왼쪽주시에서는 왼쪽으로 빠른운동이 바뀌는 주시조율(gaze modulation)소견을 보였다(동영상 2-6).

동영상 2-6. 주시조율

증례-5. 알렉산더법칙

7세 환아가 눈떨림을 주소로 내원하였다. 최대교정시력은 오른눈 (0.7) +1.25Dsph, 왼눈 (0.7) +1.25Dsph 였으며 안저검사상 망막과 시신경은 이상소견을 보이지 않았다.

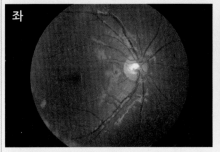
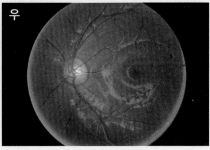

정면주시에서 왼쪽으로 빠른 움직임이 보이는 일치성 격동안진을 보였으며 증속형의 저속기가 관찰된다. 환자에서 알렉산더법칙에 따라 왼쪽 주시할 때 떨림이 증가하는 양상을 보인다.

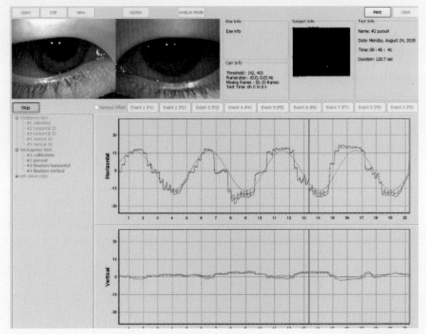

동영상 2-7. 알렉산더법칙

브룬스안진은 방향에 따라 진폭과 주기가 변하는 것으로 한쪽 방향으로 주시하는 경우에는 느리고 진폭이 큰 안진을 보이나 반대편 방향으로 주시할 때는 빠르고 진폭이 낮은 안진을 보이는 질환이다. 이 안진은 소뇌병변에 의해 발생하며 병변이 있는 쪽으로 주시할 경우 느리고 진폭이 큰 안진을 보이게 된다.

또한, 단평면uniplanar을 가지고 있는 것이 특징이다. 단평면이란 주시 방향에 따라 안진의 수직과 수평이 바뀌지 않는 것을 말한다(그림 2-6). 예를 들어 정면에서 수평안진을 보이는 환자는 정면주시 이외 하방, 상방, 가측 주시 모두에서 수평안진을 보여야 한다. 만약 주시방향에 따라 수평안진이 수직안진으로 바뀌는 경우는 영아안진에서 볼 수 없으므로 주의해야 한다. 동일한 방향성을 갖는 안진은 영아안진을 포함하여 전정안진, 주기교대안진에서만 보인다.

그림 2-6. 주시에 따른 안진의 변화

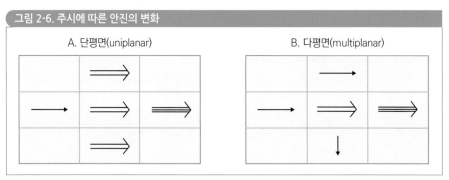

A. 단평면(uniplanar) B. 다평면(multiplanar)

A. 단평면: 주시에 따라 안진의 형태가 변하지 않는다. 즉 모든 방향에서 수평안진이 관찰된다. B. 다평면: 주시 방향에 따라 수직과 수평안진이 혼재되어 나타난다.

(6) 망막중심오목주시시간

망막중심오목주시시간foveation fixation period은 영아안진증후군의 특징적인 소견으로 시력개선을 위해 영아안진증후군 환자들이 목표물의 상을 최대한 중심오목에 맺히게 유지하는 것을 의미한다(동영상 2-8, 증례-6 및 그림 2-7). 육안으로는 망막중심오목주시시간을 확인하기 어려우며 비디오안진검사videonystagmogram, 전기안진검사electrooculogram, EOG로 측정해야 확인이 가능하다.

증례-6. 망막중심오목주시시간을 갖고 있는 격동안진

22세 남자가 눈떨림을 주소로 의뢰되었다. 교정시력은 양안 모두 0.9로 양호하였으며 안저검사상 약간의 황반부끌림 소견 이외에 특이소견 보이지 않았다. 머리뇌자기공명영상에서 이상소견은 보이지 않았고 사시도 관찰되지 않았다.

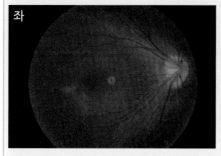
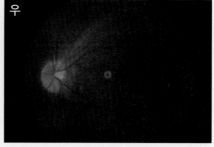

좌 / 우

안진은 오른쪽으로 빠른 움직임이 보이는 일치성격동안진이 나타나며 비디오안진검사에서 망막중심오목주시시간이 확인되었다.

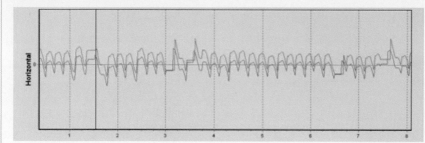

동영상 2-8. 망막중심오목주시시간

일반적으로 망막중심오목주시시간 동안 안진의 속도는 20°/msec에서 150°/msec 정도 되나 일부에서는 400°/msec까지 나타나기도 한다.

망막중심오목주시시간이 환자의 최대교정시력과 밀접한 관계를 가지고 있어 망막중심오목주시시간이 충분히 유지되어야 좋은 시력을 획득할 수 있다. Sheth 등

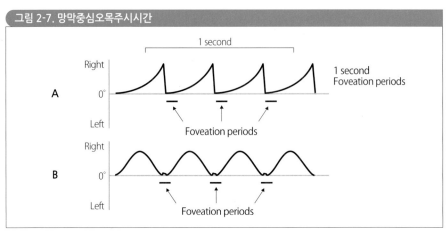

그림 2-7. 망막중심오목주시시간

A. 격동안진에서 보이는 망막중심오목주시시간, B. 시계추안진에서 관찰되는 망막중심오목주시시간

[16]은 눈운동속도가 4°/sec 이내로 유지된다면 망막중심오목주시시간에 비례하여 시력이 양호하다고 보고하였으며 약 100°/msec 정도의 속도로 망막중심오목주시시간이 유지된다면 시력이 20/20까지 나온다고 하였다.

망막중심오목주시시간을 측정하기 위해서는 이에 대한 정의가 필요하다. Dell'Osso 연구팀[17]은 망막중심오목범위foveation windows 개념을 도입하여 중심오목 중심으로부터 0.5° 이내에서 속도가 4°/sec 이하로 움직일 때로 정의하였다(그림 2-8).

그림 2-8. Dell'Osso 연구팀이 제시한 망막중심오목주시시간을 계산하는 방법

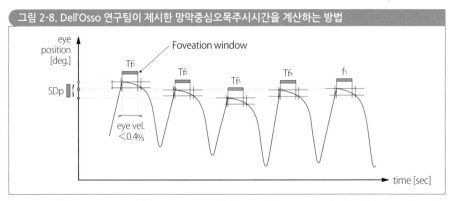

중심오목범위(Foveation window)는 안진의 속도가 4°/sec 이하이면서 목표물의 중심에서 0.5도 이내로 유지되는 구간을 이야기한다. 이 중심오목범위가 얼마나 지속되는지를 측정하여 망막중심오목주시의 지속시간을 측정한다.[18]

연구자들마다 망막중심오목주시시간에 대한 정의가 달라 Dickinson과 Abadi는[19] 속도가 $1.67°$/sec 이하로 움직일 때 안정적인 시력을 얻을 수 있다고 하였으며 이 속도를 망막중심오목주시시간으로 정하여 사용하기도 한다. 망막중심오목주시시간을 $10°$/sec 이내로 폭넓게 보는 연구도 있다.[20]

그림 2-9. 시력에 영향을 미치는 망막중심오목주시시간의 3요소

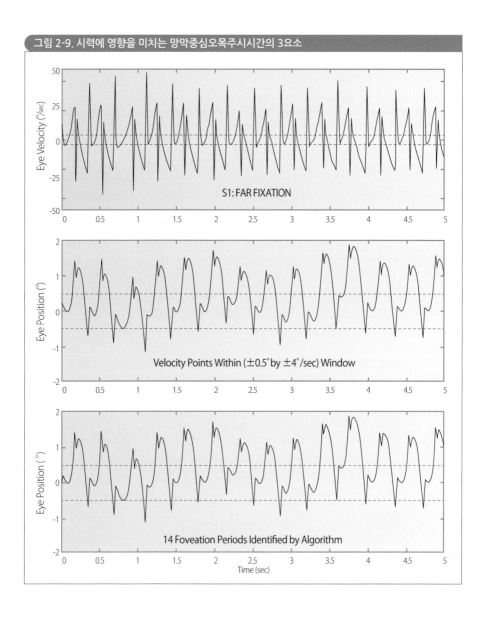

최대시력에 영향을 미치는 망막중심오목주시시간의 세가지 요소는 유지기간dura-tion, 속도velocity, 위치의 정확도accuracy of position이다(그림 2-9). 초기에는 일정한 느린 속도로 충분히 유지기간을 갖는다면 좋은 시력을 갖고 있다고 생각하였으나 그렇지 않은 경우들이 있어 이를 분석한 결과 망막중심오목주시시간의 정확도가 시력예후에 영향을 미치는 중요한 요소로 알려졌다(그림 2-10). 결론적으로 유지기간, 속도, 위치의 정확도가 시력을 결정짓는 망막중심오목주시시간의 3요소로 여겨진다.[18,21]

그림 2-10. 시력에 영향을 미치는 파형양상

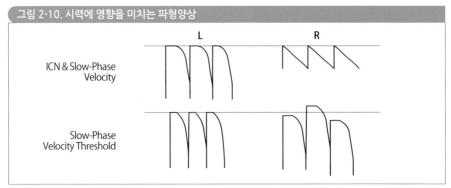

상단: 진폭은 크더라도 좌측과 같이 망막중심오목주시시간을 갖고 있는 형태에서 시력이 양호하다. 하단: 우측의 파형처럼 망막중심오목주시시간이 길더라도 위치가 일정하지 않은 경우는 시력이 불량하다.

① 망막중심오목주시시간의 측정방법

망막중심오목주시시간의 측정이 시력평가에 밀접한 관계가 있으므로 이를 정량적으로 측정하고자 하는 연구들이 다양하게 시도되고 있다. 이런 시도는 파형만을 가지고 환자의 시력을 유추해볼 수 있으므로 안진 이외 시력저하요소들을 찾아낼 수 있으며 치료 효과를 객관적으로 평가할 수 있게 해주었다.

가) 안진시력기능

Dell'Osso 연구팀은 1994년 망막중심오목주시시간을 객관적으로 측량하고 잠재적인 시력을 평가하는 방법으로 안진시력기능Nystagmus Acuity Function, NAF을 제시하였다.[22] NAF는 산술적으로 계산되어 측정하며 아래의 공식으로 나타낸다.

$$\text{NAF} = (1 - \sigma_{pv})(1 - e^{-Tf/t})$$

$$\sigma^2_{pv} = (SDp^2 + SDv'^2)/2 \,, \, SDv' = 0.125(SDv), \, \tau = 33.3 \text{ msec}$$

Tf: 망막중심오목주시시간의 유지기간, SDp: 망막중심오목주시시간의 정확도, SDv: 망막중심오목주시시간의 속도

NAF를 간단히 만든 공식으로 위치단일안진시력기능 NAFP (Nystagmus Acuity Function for Position only)를 사용하기도 하는데 공식은 다음과 같다.

$$\text{NAFP} = (1 - SDp)(1 - e^{-Tf/t})$$

Tf: 망막중심오목주시시간의 유지기간, SDp: 망막중심오목주시시간의 정확도

이 단순화된 공식의 제한점은 망막중심오목주시시간의 속도가 4°/sec 이하일 때 적용 가능하다는 것이다. 이 공식에 의하면 안진에서의 시력은 정확도에 비례하고 유지기간과는 기하급수적인 비례관계를 보인다는 것을 알 수 있다. NAFP와 시력 간에는 좋은 상관관계를 보인다(그림 2-11)

그림 2-11. Nystagmus acuity function for position only (NAFP)와 시력과의 관계

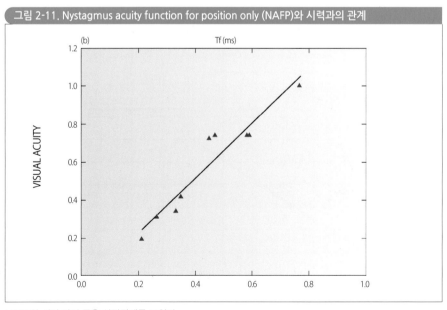

NAFP와 시력 간의 좋은 상관관계를 보인다.

나) 확장안진시력기능

NAF는 망막중심오목주시시간에서의 안진 속도가 ±0.5°/sec와 ±4.0°/sec 정도로 유지되는 가정하에 적용했다는 한계가 있다. 하지만 일부 환자에서는 이보다 더 빠르게 움직이는 경우가 있어 이를 보완하고자 속도를 10°/sec까지 확장한 확장안진시력기능eXpanded Nystagmus Acuity Function, NAFX를 도입하였다.[23] NAFX가 이전 NAF보다 시력을 추정하는데 좀 더 높은 정확도를 보인다.

다) 안진시력추정기능

Cesarelli 등[18]은 NAFP의 공식을 바탕으로 임상에 적용하기 쉽도록 안진시력추정기능nystagmus acuity estimator function, NAEF을 제안하였다(그림 2-12). NAEF의 공식은 다음과 같다.

$$NAEF = f(SDp)(1 - e(-Tf/33.3))$$

Tf: 망막중심오목주시시간의 유지기간, SDp: 망막중심오목주시시간의 정확도

그림 2-12. 안진시력추정기능

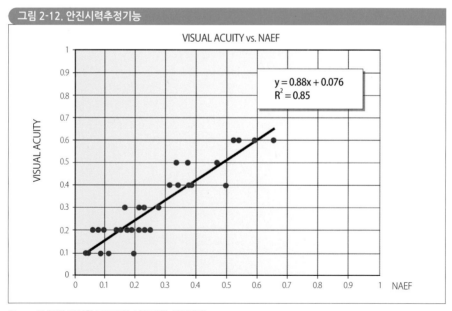

Cesarelli 등이 제안한 NAEF와 시력과의 상관관계

하지만 국내에서 NAEF와 시력과의 연관관계를 연구한 논문에서는 상관계수가 0.4266으로 Cesarelli 등의 연구보다 떨어지며, 시계추안진 환자에서는 망막중심오목주시시간을 측정하기 까다로운 제한점을 지적하였다.[24]

라) 자동망막중심오목주시시간 측정프로그램

망막중심오목주시시간을 측정하기 위해서는 연구자가 직접 수동으로 측정하나 자동으로 망막중심오목시간을 계산하여 시력을 예측하는 프로그램도 소개되었다. Yao 등[25]은 자동화안진시력기능automated nystagmus acuity function, ANAF을 고안하여 이전 NAFX와의 상관계수가 0.934276으로 높은 상관관계를 보였다. Dunn 등[26]은 안구추적기를 이용하여 정확한 망막중심오목주시시간을 포함한 눈운동의 파형을 분석하는 프로그램을 소개하였다.

(7) 중화구역

중화구역neutral zone은 격동안진의 방향이 바뀌거나 안진이 관찰되지 않는 주시각 gaze angle을 말한다. Hertel 등[13]의 연구에서 3–6개월 사이에 발생한 영아안진 환자에서 중화구역이 약 13%에서 관찰된다고 하였다. 박 등은 33명 중 29명에서 중화구역이 관찰되었다고 보고하였다.[11]

중화구역은 정적중화구역static neutral zone과 동적중화구역dynamic neutral zone으로 나뉜다. 일반적으로 안진이 가장 줄어드는 구역을 중화구역이라 하나 사물이 움직이는 경우 안진의 속도, 방향에 따라 다소 중화구역이 변하게 된다. 이를 구분하여 움직이는 눈운동에서 관찰되는 중화구역을 동적중화구역이라고 하고 물체가 움직이지 않는 경우에 측정된 중화구역을 정적중화구역으로 구분한다.

(8) 정지구역

엄격히 말해서 정지구역null zone은 중화구역과는 다른 개념이다. 정지구역은 안진의 강도가 가장 최소화되는 주시위치이며, 중화구역은 격동안진에서 관찰되는 현상으로 미끄러짐의 힘이 평행을 이루어 안진이 없거나 시계추안진의 양상과 유사하게 나타나는 것을 말한다.[27] 대부분 정지구역과 중화구역은 일치하나 그렇지 않은 경우도 드물게 존재한다.

움직임에 대한 일부 환자는 한 개 이상의 정지구역을 가지기도 하며, 이러한 환자들은 주로 관찰되는 정지구역과 그 외 다른 구간에서 드물게 관찰되는 정지구역을 갖고 있다.[28] 또한 근거리와 원거리에 따라서 정지구역이 달라지기도 한다.[29] 이렇게 정지구역이 변화하는 경우는 첫번째로 주기교대안진periodic alternating nystagmus을 갖고 있어서 주기에 따라 변하는 경우이다. 두번째로는 무주기교대안진 aperiodic alternating nystagmus으로 특정 주기를 가지고 있지 않으나 교대안진이 발생하는 경우이다. 세번째로는 좌우 주시에 따라서 주기가 변하는 드문 형태의 안진에서도 변하는 정지구역을 보이게 된다. 마지막으로는 안진억제증후군nystagmus blockage syndrome에서도 정지구역이 변하게 된다. 따라서 수술을 계획하기 전에 여러 번 정지구역을 측정하여 평가하는 것을 고려해야 한다.

Abadi 등은 143명의 영아안진 환자에서 정면주시로부터 10도 이내에 정지구역이 위치하는 경우를 73%로 보고하였다. 정지구역에 주시방향을 유지시키기 위해 고개돌림이나 머리기울임과 같은 이상머리위치가 나타나는 경우가 흔하다.

(9) 시운동성안진 반응의 역전

시운동성안진optokinetic nystagmus, OKN은 연속해서 지나가는 물체를 계속 주시할 때 불수의적으로 일어나는 정상적인 눈운동이다. 예를 들어 기차를 타고 밖에 있는 줄 지어 있는 전봇대를 보게 되면 하나에서 다음 하나로 빠르게 움직이면서 전봇대를 이어서 보게 된다. 실험적으로는 시운동성안진드럼OKN drum을 이용하여 유발할 수 있다. 시운동성안진드럼을 우측으로 돌리면 눈은 우측으로 쫓아가다가 pursuit 다음 줄무늬를 보기 위해 좌측으로 빠른 움직임jerky saccade을 보인다.

시운동성안진의 기전은 움직임을 추적하기 위해 외안근에 신호가 전달되어야 하는데 이 자극은 소뇌의 타래flocculus와 전정핵을 통해 시작된다. 이 자극을 조율하는 장소는 교뇌망상체pontine reticular formation로 알려져 있다.[30] 따라서 이 구조에 병변이 생기면 시운동성안진의 이상반응이 나타난다.

시운동성안진의 이상반응은 중추성어지러움증 환자에서 주로 나타나나, 영아안진증후군을 비롯하여 말초성어지러움증, 외안근마비, 영아내사시에서도 나타난다.[31]

시운동성안진의 이상반응은 두 눈에서 비대칭을 보이는 경우와 안진의 방향이 뒤바뀌는 역전현상 등으로 나눌 수 있으며, 시운동성안진의 역전Reversed OKN response 은 시운동성 자극을 가하면 안진이 자극과 같은 방향으로 나타나는 것을 말한다. 즉 우측으로 드럼을 돌리면 정상에서는 좌측으로 빠른 안진이 보이나 역전된 경우에는 오히려 우측으로 빠른 안진이 나타난다(그림 2-13). 영아안진증후군에서는 다양한 형태의 반응을 보일 수 있으며 역전현상이 흔하게 나타난다. 또한 비대칭적인 시운동성반응을 보이는 경우도 흔하다. 하지만 뇌간과 소뇌의 후천적질환의

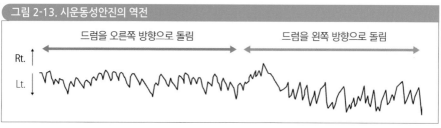

그림 2-13. 시운동성안진의 역전

드럼을 우측으로 돌릴 때 우측으로 빠르게 움직이는 격동안진이 관찰되고 좌측 방향으로 돌리면 반대로 좌측으로 격동안진이 관찰된다.

그림 2-14. 영아내사시에서 보이는 비대칭적 시운동안진

귀쪽에서 코쪽으로 자극할 때는 안진이 확인되나 코쪽에서 귀쪽으로 자극할 때는 안진이 보이지 않는다.

경우 톱니바퀴형태가 아닌 편평한 형태로 비대칭적인 파형을 보이는 것이 차이이다.[32] 비대칭적인 시운동성안진을 보이는 경우는 영아내사시와 잠복안진에서 대표적으로 보인다(그림 2-14).

영아안진증후군에서 시운동성안진의 역전이 나타나는 이유는 시각전달체계의 교차에 이상이 생기는 것으로 추정된다.[33] 이러한 가설은 백색증에서 귀쪽망막의 교차가 잘 나타나지 않고 코쪽망막정보의 교차가 과도하게 나타나게 된다. 이러한 경우 시운동성안진의 역전이 나타나는 현상을 근거로 한다.[34]

(10) 잠복요소
일반적으로 현성안진에 잠복요소latent component가 동반된 경우가 흔하며 한 연구에서는 22%에서 동반된다고 하였다.[13]

(11) 안진의 변화를 주는 요소들
안진은 다양한 요소에 의해 파형이 악화되거나 줄어든다. 안진에 영향을 미치는 인자는 시자극, 눈모음, 주시, 머리흔들기head shaking 등이 있다. 프렌젤안경Frenzel glasses을 사용하여 시자극을 없애거나 반대로 주시점을 이용하여 시각을 자극하면 파형의 변화가 보이는데 시자극을 없애면 파형이 줄어들고, 주시를 유발하면 안진이 악화된다. 잠재되어 있는 전정기능의 불균형을 유도하기 위해 머리흔들기, 과호흡, 체위변환 등을 이용하여 측정하고 평가한다. 영아안진증후군의 특징은 시자극, 주시에 의해 안진이 증가하고 눈모음에 의해서는 줄어드는 경향을 보인다는 점이다.

호전되는 경우	악화되는 경우
수면	주시
시자극을 없앰	강한 시자극
눈모음	
정지구역(null zone)으로 주시하는 경우	
눈을 감음	

③ 영아안진증후군의 임상양상

1) 시력

시력은 시기능의 가장 중요한 요소라 할 수 있으며 영아안진증후군 환자에서 동반된 질환과 파형에 따라 시력이 결정된다. 영아안진증후군은 눈을 포함하여 시각계의 다양한 병변이 동반되어 발생할 수 있다. 영아안진증후군의 시력은 동반된 안질환, 즉 백색증, 선천백내장, 시신경형성부전optic nerve hypoplasia, 망막중심오목형성부전foveal hypoplasia, 전색맹achromatopsia과 같은 망막질환 등의 동반여부 또한 시력예후에 영향을 미친다. 영아안진증후군에서 해부학적 이상을 보이는 경우가 80−90%에 이르기 때문에,[35] 안진 자체로 시력이 떨어진 것인지 아니면 동반된 질환에 의해서 시력이 떨어진 것인지 분명히 구분하기는 쉽지 않다.

Hvid 등[36]은 덴마크 수도권 지역을 대상으로 한 역학연구에서 103명 영아안진증후군 환자를 분석하였으며, 이 중 눈질환이 동반된 경우가 44%, 신경계질환과 유전병을 가지고 있는 경우가 20%, 특발성을 32%로 보고하였다. 눈질환에서는 백색증이 20%로 가장 흔한 원인을 차지하였다. 이러한 동반된 질환의 특성에 따라 영아안진증후군의 시력예후에 영향을 미친다. Hertel과 Dell'Osso는 시력이 적어도 한눈에서 이상을 보인 환아는 40%였으며 시력저하의 가장 흔한 원인은 선천시신경이상과 망막이상으로 보고하였다.[14]

Abadi 등[20]은 안진을 가지고 있는 백색증환자와 눈의 이상소견이 없는 영아안진 환자의 시력을 분석하였으며, 백색증환자의 시력은 6/48에서 6/19 범위의 시력을 보였고, 특발성영아안진 환자의 시력은 6/30에서 6/6 범위로 백색증이 있는 환자보다 양호한 시력을 보였다. 따라서 해부학적 이상이 있는 경우에서 없는 경우보다 시력이 낮다는 것을 알 수 있다.

유전형에 따른 시력예후는 *FRMD7*과 관련된 안진 환자에서 대부분 0.5 이상의 시력을 보였다. 중간시력은 6/9였으며 4분위 시력은 6/12에서 6/7.5로 나타났다.

FRMD7 이외의 유전형에서는 중간시력은 6/9, 사분위시력은 6/12에서 6/6으로 다소 양호한 시력을 보였으나 통계적인 차이는 유의하지 않았다.[15]

안진의 파형이 시력에 영향을 미칠 수 있는 요소는 안진의 진폭, 속도, 파형의 형태, 망막중심오목주시시간의 유무이다. Felius와 Muhanna는[37] 안구의 이상이 없는 영아안진증후군에서 정상보다 0.25 ± 0.19 LogMAR의 시력이 낮다고 보고하였으며 시계추안진 환자에서 더 낮은 시력을 보인다고 하였다. 이는 시계추안진에서 망막중심오목주시시간이 부족하기 때문으로 보았다.

안진의 파형에 따라 시력도 차이를 보일 수 있으며 중심오목주시시간을 갖는 격동안진 환자가 시계추안진 환자들보다 시력이 양호한 편이다(그림 2-15).

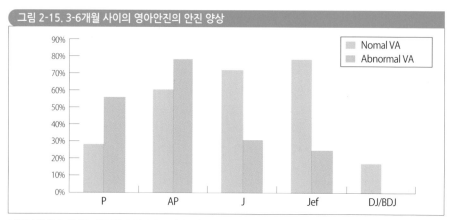

그림 2-15. 3-6개월 사이의 영아안진의 안진 양상

시력이 좋은 군에서는 확장된 중심오목주시시간을 갖고 있는 격동안진이 가장 많고 시력이 나쁜 경우는 비대칭성시계추안진이 가장 많이 관찰되었다.[13] (P: pendular, AP: asymmetric pendular, J: jerk, Jef: jerk with extended foveation, DJ/BJD: dual jerk/bidirectional jerk)

망막중심오목형성부전을 갖고 있는 영아안진증후군에서 휴대용빛간섭단층촬영 hand-held optical coherence tomography을 이용하여 황반부를 분석하고 해부학적 구조와 시력과의 연관성에 대한 연구가 보고되었다. 황반부의 형태에 따라 시력예측이 가능하였으며, 주시선호검사보다도 더 뛰어난 시력예측도를 보였다.[38]

그림 2-16. 망막중심오목저형성의 형태에 따른 시력예측

Normal foveal structural features detectable using optical coherence tomography	
(a) Extrusion of plexiform layers (b) Foveal pit (c) OS lengthening (d) ONL widening	

Grade of foveal hypoplasia	Structural features detected on optical coherence tomography	Present or absent	Illustration
1a	(a) Extrusion of plexiform layers (b) Foveal pit - Nearly normal (c) OS lengthening (d) ONL widening	(a) Absent (b) Present (c) Present (d) Present	
1b	(a) Extrusion of plexiform layers (b) Foveal pit - Shallow indent (c) OS lengthening (d) ONL widening	(a) Absent (b) Present (c) Present (d) Present	
2	(a) Extrusion of plexiform layers (b) Foveal pit (c) OS lengthening (d) ONL widening	(a) Absent (b) Absent (c) Present (d) Present	
3	(a) Extrusion of plexiform layers (b) Foveal pit (c) OS lengthening (d) ONL widening	(a) Absent (b) Absent (c) Absent (d) Present	
4	(a) Extrusion of plexiform layers (b) Foveal pit (c) OS lengthening (d) ONL widening	(a) Absent (b) Absent (c) Absent (d) Absent	
Atypical	(a) Extrusion of plexiform layers (b) Foveal pit - Shallow (e) ISe disruption	(a) Absent (b) Present (e) Present	

망막중심오목저형성의 정도에 따라 어느 정도 시력예측이 가능하다.[38]

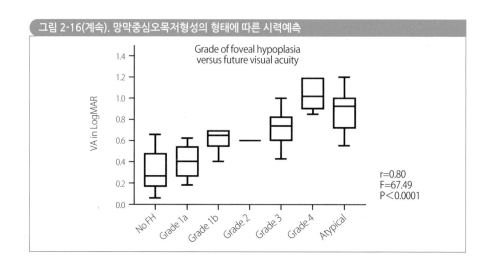

그림 2-16(계속). 망막중심오목저형성의 형태에 따른 시력예측

일반적인 시력표를 이용한 시력측정의 가장 큰 제한점은 시간제한이 없고 움직이지 않는 고정된 고대비 시력표를 이용한다는 점이다. 따라서 영아안진증후군 환자는 실제상황에서 겪는 시력의 저하가 더 뚜렷할 수 있다. Weaterton 등[39]은 영아안진증후군 환자가 정상아이들보다 물체를 인지하기 위해 필요한 주시기간이 더 길다고 보고하였다. 저자들은 주시선호를 이용한 연구에서 영아안진증후군 환아들은 5초간 두 얼굴을 보여주었을 때 자신들의 엄마의 얼굴을 찾는 데 실패하였으나 대조군에서는 1초 이내로 자신들의 엄마를 주시하였다.

영아안진증후군의 시력은 시간이 지날수록 호전될 수 있으며 18명(4-18세)을 대상으로 한 연구에서 나이가 두 배가 될 때 0.05LogMAR(스넬렌시력표로 0.5줄)의 호전을 보인다고 하였다.[40] 또한 Weiss와 Kelly도 질환의 종류에 불구하고 영아안진증후군환자들은 시간이 흐르면서 시력이 다소 향상되는 경향을 보인다고 하였다.[40]

안구의 구조적 문제가 없는 특발성안진의 경우 시력은 망막중심오목주시시간과 밀접한 관계가 있음은 잘 알려져 있다. 이 중에서도 망막중심오목에 상이 충분히 맺힐 수 있는 충분한 시간과 충분히 느린 속도, 중심오목에 정확히 맺히는 정확도가 유지되어야 좋은 시력을 얻을 수 있다.[7,18]

Hertel 등의 연구에서 시력은 망막중심오목주시시간의 정확도와 비례하고 시간과는 기하급수적인 비례를 보인다고 하였다. 속도는 $4°/sec$ 이하로 유지된다면 큰 영향을 받지 않으나 Evans는[41] 약 50%의 영아안진 환자들이 중심오목에 상이 맺힐 만큼 충분히 느린 속도로 유지되지 못한다고 하였다. 망막중심오목주시시간이 40 msec보다 길게 유지되어야 파형에 양상에 상관 없이 좋은 시력을 유지할 수 있다.[7]

망막중심오목주시시간의 위치정확도 또한 여러 연구에서 시력과 연관성이 잘 알려져 있으며 정확히 상이 맺혀야 좋은 시력을 유지할 수 있다.[14,18,42]

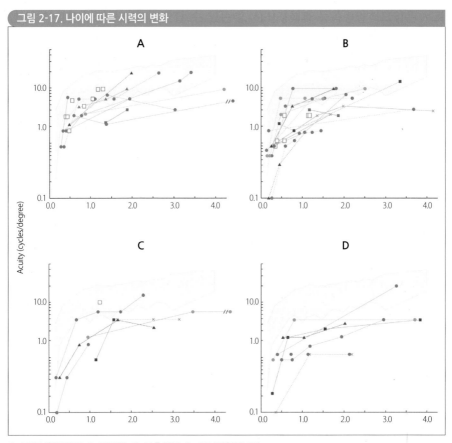

그림 2-17. 나이에 따른 시력의 변화

A: 특발성영아안진, B: 백색증, C: 무홍채증, D: 시신경형성부전

2) 이상머리위치

이상머리위치anomalous head posture는 영아안진증후군에서 흔하게 보이며 대부분 안진이 최소화되는 중화구역으로 안구를 위치시키기 위한 행위이다. 가장 흔하게 보이는 이상머리위치는 고개돌림face turn이다. 그 외 턱을 들거나chin-up 내리기chin-down, 머리기울임head tilt 등이 나타나며 이러한 것들이 섞여서 같이 나타나기도 한다.[43] Spielmann은 이상머리위치의 빈도를 머리기울임이 26%, 고개돌림이 13%, 눈모음이 10%, 수직이상머리위치가 15%, 혼재형을 2%로 보고하였다.[44]

이상머리위치가 없는 경우는 정지구역이 없거나 정지구역이 정면주시에 위치하기 때문이다. 하지만 일부에서는 이상머리위치가 반드시 안진의 강도가 가장 작은 곳과 일치하는 것은 아니며 Abadi 등[28]은 30% 이상에서 일치하지 않는 소견을 보인다고 하였다.

영아안진증후군에서 이상머리위치의 존재는 19-100%까지 다양하게 보고되었다.[44,45] Hertel 등[13]은 6개월 이하의 영아안진증후군에서 고개돌림이나 머리기울임이 19%에서 관찰된다고 하였다. 하지만 18개월의 환아를 대상으로 한 연구에서는 고개돌림이 67%에서 관찰되어 시간이 흐를수록 증가함을 알 수 있다.[14] Kraft 등[43]은 이상머리위치가 안진 환자 모두에서 나타난다고 보고하였으며 고개돌림이 23명 중 20명에서 확인되었고 15-30도 이내의 고개돌림이 30%, 35-50도 정도의 큰 각도를 보이는 환자가 70%를 차지한다고 하였다. 국내 연구에서도 33명 중 31명이 이상머리위치를 보인다고 하였다.[11]

유전형에 따라 이상머리위치가 다를 수 있다. *FRMD7* 유전형을 가진 안진 환자의 15%에서 5도 이상의 머리돌림이 관찰되었으며 턱을 내리거나 드는 수직형태는 보이지 않았고 모두 15도 이내의 양호한 형태를 보였다. 하지만 *FRMD7* 이외의 유전형을 가진 환자에서는 27%에서 15도 이상의 머리돌림을 보였다(그림 2-18).[15]

머리떨림head oscillation도 영아안진에서 종종 관찰된다. 안진과 유사한 2-3 Hz의

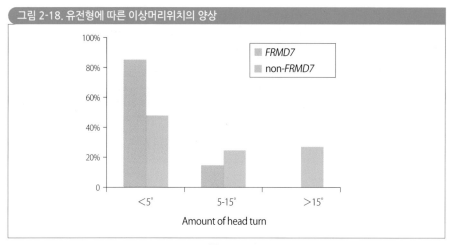

그림 2-18. 유전형에 따른 이상머리위치의 양상

FRMD7 영아안진 환자에서 양호한 양상을 보인다.[15]

낮은 빈도의 머리떨림이 나타나는 이유로는 안진을 최소화시키기 위한 보상기전, 대뇌운동신경회로의 병적인 잔향reverberation, 망막중심오목주시시간을 연장시키기 위한 기전 등이 거론된다.[46-48] Ghasia와 Shaikh는 10명의 영아안진증후군에서 1–3 Hz 빈도의 머리떨림은 모든 환자에서 지속해서 나타나며 5–8 Hz의 빈도를 가진 머리떨림이 일과성으로 나타난다고 하였다.[49]

4) 사시

영아안진증후군에서 사시는 16–50%에서 동반된다.[14,50-52] Brodsky와 Fray[51]는 영아안진의 82명 중 41명(50%)에서 사시가 관찰되었으며, 내사시 24명, 외사시 15명, 상사근마비 2명으로 보고하였다. 저자들은 기저 질환과의 연관성을 관찰하였는데 원인이 되는 질환에 따라 사시의 빈도가 달랐으며 시신경형성부전에서 가장 많은 빈도로 나타났고 동반된 안질환이 없는 특발성영아안진 환자에서는 17%에서 사시가 동반되었다고 하였다(그림 2-19). 국내연구에서는 33명 중 5명에서 사시가 동반되었다고 보고하였으며 내사시가 4명, 외사시가 한 명이었다.[11] 백색증과 관련된 안진은 카파각angle of Kappa이 큰 경우가 많아 외사시처럼 보이는 경우가 많다.

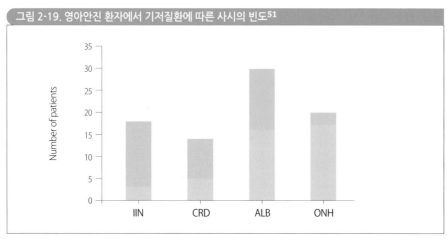

그림 2-19. 영아안진 환자에서 기저질환에 따른 사시의 빈도[51]

시신경형성부전환자에서 가장 흔하게 사시가 동반되었다(하늘색이 사시를 가진 환자 수).

IIN; Idiopathic infantile nystagmus 특발성영아안진, CRD; congenital retinal dystrophy 선천망막이상증, ALB; albinism, 백색증 ONH; optic nerve hypoplasia 시신경형성부전

Thomas 등[15]의 연구에서 *FRMD7*과 관련된 안진 환자 90명 중 7명(7.8%)에서 사시가 관찰되었으며 내사시는 3명, 외사시가 3명, 수직사시가 1명으로 보고하였다. 이 중 한 명을 제외하고 6명은 어느 정도의 양안시는 가지고 있었다. *FRMD7* 유전변이 이외의 군에서는 10.4%에서 사시를 보였으며 모두 내사시 양상으로 나타났다. Self 등[53]은 *FRMD7* 환자의 44%에서 사시가 관찰된다고 하였다.

5) 읽기 능력

정상적인 읽기 과정은 쓰여진 글자를 정확히 주시하는 작업의 연속이다. 일반적으로 영아안진증후군은 주시를 유지하지는 못하지만, 읽기 속도는 정상과 비슷하거나 약간 떨어지는 정도를 보인다. 또한 잘 사용하지 않는 글자를 읽는 데 어려움을 느끼고 짧은 단어를 더 자주 읽는 습관이 있다.[54] 하지만 눈이 떨리는데도 불구하고 읽기 능력이 양호한 이유는 고속기를 억제하거나 망막중심오목주시시간을 이용하여 주시하는 글자에서 좀 더 천천히 움직이게 하여 읽어 나가는 방법을 사용하는 것으로 생각된다.[55] 하지만 망막중심오목주시시간에 머물지 않더라도 읽기는 가능하다.[56]

영아안진증후군환자의 글자방향에 따른 선호도에 연구는 수평방향과 수직방향에 대해 이견이 있다. 일부 연구에서는 수직방향을 선호한다고 보고하였으나 다른 연구에서는 수평방향을 선호한다고 하였다. 이는 문화적 배경과 글자의 형태에 따라 다른 양상을 보이는 것이 연구마다 차이를 보이는 이유로 생각된다.[57,58] 하지만 최근의 연구들은 대부분 수평방향을 선호하고 수평방향에서 읽기 속도가 향상된다는 결과를 보이며, 가정으로는 수평방향의 글자가 더 친숙하고 수평안진이 더 흔하기 때문으로 생각된다.[57]

| 참고문헌 |

1. Brodsky MC. Infantile nystagmus-following the trail of evidence. J AAPOS 2020;24:70-1.
2. Gottlob I. Infantile nystagmus. Development documented by eye movement recordings. Invest Ophthalmol Vis Sci 1997;38:767-73.
3. CEMAS_Working_Group. A National Eye Institute Sponsored Workshop and Publication on The Classification Of Eye Movement Abnormalities and Strabismus (CEMAS). 2001.
4. Cogan DG. Congenital nystagmus. Can J Ophthalmol 1967;2:4-10.
5. Eggers SDZ. Approach to the Examination and Classification of Nystagmus. J Neurol Phys Ther 2019;43 Suppl 2:S20-6.
6. Farmer J, Hoyt CS. Monocular nystagmus in infancy and early childhood. Am J Ophthalmol 1984;98:504-9.
7. Dell'Osso LF, Daroff RB. Congenital nystagmus waveforms and foveation strategy. Doc Ophthalmol 1975;39:155-82.
8. Abadi RV, Bjerre A. Motor and sensory characteristics of infantile nystagmus. Br J Ophthalmol 2002;86:1152-60.
9. Theodorou M, Clement R. Classification of infantile nystagmus waveforms. Vision Res 2016;123:20-5.
10. Barton JJ, Sharpe JA. Oscillopsia and horizontal nystagmus with accelerating slow phases following lumbar puncture in the Arnold-Chiari malformation. Ann Neurol 1993;33:418-21.
11. Park JH, Park SC. Clinical Characteristics of Infantile Nystagmus. J Korean Ophthalmol Soc 1996;37:502-10.
12. Reinecke R, Guo S, HP G. Waveform evolution in infatile nystagmus: an electro-oculographic study of 35 cases. Binocular Vision 1988;4:191-202.
13. Hertle RW, Maldanado VK, Maybodi M, Yang D. Clinical and ocular motor analysis of the infantile nystagmus syndrome in the first 6 months of life. Br J Ophthalmol 2002;86:670-5.
14. Hertle RW, Dell'Osso LF. Clinical and ocular motor analysis of congenital nystagmus in infancy. J AAPOS 1999;3:70-9.
15. Thomas S, Proudlock FA, Sarvananthan N, et al. Phenotypical characteristics of idiopathic

infantile nystagmus with and without mutations in *FRMD7*. Brain 2008;131:1259-67.

16. Sheth NV, Dell'osso LF, Leigh RJ, Van Doren CL, Peckman HP. The effects of afferent stimulation on congenital nystagmus foveation periods. Vision Research 1995;35:2371-82.

17. Dell'osso LF, Leigh RJ. Ocular motor stability of foveation periods. Neuro-Ophthalmology 1992;12:303-26.

18. Cesarelli M, Bifulco P, Loffredo L, Bracale M. Relationship between visual acuity and eye position variability during foveations in congenital nystagmus. Doc Ophthalmol 2000;101:59-72.

19. Dickinson CM, Abadi RV. The influence of nystagmoid oscillation on contrast sensitivity in normal observers. Vision Res 1985;25:1089-96.

20. Abadi RV, Pascal E. Visual resolution limits in human albinism. Vision Res 1991;31:1445-7.

21. Currie D, Bedell H, Song S. Visual acuity for optotypes with image motions simulating congenital nystagmus. Clinical vision sciences 1993;8:73-84.

22. Sheth NV, Dell'Osso LF, Leigh RJ, Van Doren CL, Peckham HP. The effects of afferent stimulation on congenital nystagmus foveation periods. Vision Res 1995;35:2371-82.

23. Jacobs JB, Dell'osso LF. Extending the eXpanded Nystagmus Acuity Function for vertical and multiplanar data. Vision Res 2010;50:271-8.

24. Chang JH, Lee JB, Kim SC, Han SH. Relationship Between Visual Acuity and Foveation Window in Infantile Nystagmus by Analyzing Nystagmus Waveforms. jkos 2010;51:875-80.

25. Yao JP, Tai Z, Yin ZQ. A new measure of nystagmus acuity. Int J Ophthalmol 2014;7:95-9.

26. Dunn MJ, Harris CM, Ennis FA, et al. An automated segmentation approach to calibrating infantile nystagmus waveforms. Behav Res Methods 2019;51:2074-84.

27. Daroff RB, LF DO. Periodic alternating nystagmus and the shifting null. Can J Otolaryngol 1974:367-71.

28. Abadi RV, Whittle J. The nature of head postures in congenital nystagmus. Arch Ophthalmol 1991;109:216-20.

29. Kraft SP, Irving EL. A case of different null zones for distance and near fixation. The American orthoptic journal 2004;54:102-11.

30. Honrubia V, Downey WL, Mitchell DP, Ward PH. Experimental studies on optokinetic nystagmus. II. Normal humans. Acta Otolaryngol 1968;65:441-8.

31. Chung WK, Lee WS, Choi MS. Clinical Significance of the Optokinetic Nystagmus Abnormality. Korean J Otorhinolaryngol-Head Neck Surg 1997;40:331-9.

32. LeLiever WC, Barber HO. Observations on optokinetic nystagmus in patients with congenital nystagmus. Otolaryngol Head Neck Surg 1981;89:110-6.

33. Collewijn H, van der Mark F. Ocular stability in variable visual feedback conditions in the rabbit. Brain Res 1972;36:47-57.

34. Creel D, O'Donnell FE, Jr., Witkop CJ, Jr. Visual system anomalies in human ocular albinos. Science 1978;201:931-3.

35. Simon JW, Kandel GL, Krohel GB, Nelsen PT. Albinotic characteristics in congenital nystagmus. Am J Ophthalmol 1984;97:320-7.

36. Hvid K, Nissen KR, Bayat A, Roos L, Gronskov K, Kessel L. Prevalence and causes of infantile nystagmus in a large population-based Danish cohort. Acta Ophthalmol 2020.

37. Felius J, Muhanna ZA. Visual deprivation and foveation characteristics both underlie visual acuity deficits in idiopathic infantile nystagmus. Invest Ophthalmol Vis Sci 2013;54:3520-5.

38. Rufai SR, Thomas MG, Purohit R, et al. Can Structural Grading of Foveal Hypoplasia Predict

Future Vision in Infantile Nystagmus?: A Longitudinal Study. Ophthalmology 2020;127:492-500.

39. Weaterton R, Tan S, Adam J, et al. Beyond Visual Acuity: Development of a Simple Test of the Slow-To-See Phenomenon in Children with Infantile Nystagmus Syndrome. Curr Eye Res 2020:1-8.

40. Balzer BWR, Catt CJ, Bou-Abdou M, Martin FJ. Visual Acuity Improves in Children and Adolescents With Idiopathic Infantile Nystagmus. Asia Pac J Ophthalmol (Phila) 2018;7:99-101.

41. Evans N. Treacher Collins prize essay. The significance of nystagmus. Eye (Lond) 1989;3 (Pt 6):816-32.

42. Abadi RV, Dickinson CM. Waveform characteristics in congenital nystagmus. Doc Ophthalmol 1986;64:153-67.

43. Kraft SP, O'Donoghue EP, Roarty JD. Improvement of compensatory head postures after strabismus surgery. Ophthalmology 1992;99:1301-8.

44. Spielmann A. Clinical rationale for manifest congenital nystagmus surgery. J AAPOS 2000;4:67-74.

45. Noval S, Gonzalez-Manrique M, Rodriguez-Del Valle JM, Rodriguez-Sanchez JM. Abnormal head position in infantile nystagmus syndrome. ISRN Ophthalmol 2011;594848.

46. Carl JR, Optican LM, Chu FC, Zee DS. Head shaking and vestibulo-ocular reflex in congenital nystagmus. Invest Ophthalmol Vis Sci 1985;26:1043-50.

47. Gresty MA, Halmagyi GM. Abnormal head movements. J Neurol Neurosurg Psychiatry 1979;42:705-14.

48. Anagnostou E, Spengos K, Anastasopoulos D. Single-plane compensatory phase shift of head and eye oscillations in infantile nystagmus syndrome. J Neurol Sci 2011;308:182-5.

49. Ghasia FF, Shaikh AG. Head oscillations in infantile nystagmus syndrome. J AAPOS 2015;19:38-41.

50. Forssman B. Hereditary studies of congenital nystagmus in a Swedish population. Ann Hum Genet 1971;35:119-38.

51. Brodsky MC, Fray KJ. The prevalence of strabismus in congenital nystagmus: the influence of anterior visual pathway disease. J AAPOS 1997;1:16-9.

52. Dell'Osso LF. Congenital, latent and manifest latent nystagmus-similarities, differences and relation to strabismus. Jpn J Ophthalmol 1985;29:351-68.

53. Self JE, Shawkat F, Malpas CT, et al. Allelic variation of the *FRMD7* gene in congenital idiopathic nystagmus. Arch Ophthalmol 2007;125:1255-63.

54. Prakash E, McLean RJ, White SJ, Paterson KB, Gottlob I, Proudlock FA. Reading Individual Words Within Sentences in Infantile Nystagmus. Invest Ophthalmol Vis Sci 2019;60:2226-36.

55. Thomas MG, Gottlob I, McLean RJ, Maconachie G, Kumar A, Proudlock FA. Reading strategies in infantile nystagmus syndrome. Invest Ophthalmol Vis Sci 2011;52:8156-65.

56. Woo S, Bedell HE. Beating the beat: reading can be faster than the frequency of eye movements in persons with congenital nystagmus. Optom Vis Sci 2006;83:559-71.

57. Gantz L, Sousou M, Gavrilov V, Bedell HE. Reading speed of patients with infantile nystagmus for text in different orientations. Vision Res 2019;155:17-23.

58. McIlreavy L, Freeman TCA, Erichsen JT. Two-Dimensional Analysis of Horizontal and Vertical Pursuit in Infantile Nystagmus Reveals Quantitative Deficits in Accuracy and Precision. Invest Ophthalmol Vis Sci 2020;61:15.

안과검사 및 유전자검사

한진우

① 서론

안진으로 내원하는 환자의 안과적 검사는 환자의 정확한 진단 및 치료 방침을 결정하는 데 매우 중요하다. 이전에는 영아안진증후군infantile nystagmus syndrome 환자에서 시력은 대부분 정상이라고 생각되었으며, 영아운동성안진infantile motor nystagmus으로 불리었다. 하지만 여러 보고에 의하면 시각 경로의 구심성visual afferent system의 이상이 영아안진 환자의 많은 수에서 보고가 되고 있다.[1] 영아안진증후군이란 진단 자체는 포괄적인 용어umbrella term일 뿐 세부적인 진단명이 아니다. 우선적으로 문진, 신체검사, 시력, 세극등현미경검사, 안구운동검사, 색각검사 등을 포함하여 안저촬영, 빛간섭단층촬영 등 여러 검사가 필요한 반면 안진으로 인하여 검사에 제약이 많고, 어린이의 경우 더욱 검사가 어렵다. 또한, 눈백색증ocular albinism 환자에서도 경우에 따라 안저의 색소가 정상에 가까운 경우도 있어 진단에 주의를 기울여야 하며(그림 2-20), 완전한 임상적 검사와 유전자 검사에서도 원인이 나오지 않을 경우에 한해서 특발성영아안진idiopathic infantile nystagmus이라고 명명할 수 있을 것이다. 본 챕터에서는 영아안진증후군 환자들에게서 시행해야 하는 임상검사 항목과 유전진단에 대해 알아보고자 한다.

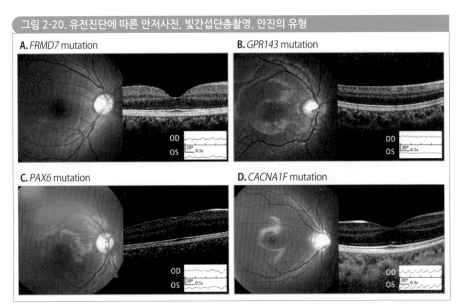

그림 2-20. 유전진단에 따른 안저사진, 빛간섭단층촬영, 안진의 유형

A. *FRMD7* mutation **B.** *GPR143* mutation

C. *PAX6* mutation **D.** *CACNA1F* mutation

4명의 환자는 모두 격동안진을 보임. (A) *FRMD7*연관 영아안진 (B) *GPR143* 유전이상에 의한 눈백색증 (C) *PAX6*관련 표현형에 의한 눈떨림 (D) *CACNA1F* 유전이상에 의한 선천비진행야맹

Adapted and reproduced with permission from Rim JH, Lee ST, Gee HY, et al. Accuracy of Next-Generation Sequencing for Molecular Diagnosis in Patients With Infantile Nystagmus Syndrome. JAMA Ophthalmol 2017;135(12):1376-85.

② 안과검사

1) 문진 history taking

자세한 문진을 통하여 안진을 처음 발견한 시기, 안진이 지속적으로 관찰되었는지 혹은 간헐적으로 관찰되는지를 확인한다. 안진이 있는 다른 가족은 없는지 확인하여 가계도를 자세하게 작성한다. 또한, 고개돌림 혹은 고개기울임face turn or head tilt과 고개끄덕임head titubation or nodding이 없는지도 문진을 통하여 확인한다. 또한 환자가 눈을 누르는 증상oculodigital sign 혹은 진동시oscillopsia가 있는지도 물어보아야 할 사항이다(표 2-1).

안진과 관련하여 전신적으로 확인하여야 할 사항이 몇 가지 있는데 특히 환자가

표 2-1. 안진 환자에게 검사하는데 있어 8가지 중요한 질문

질문	가능한 진단명
진동시가 있는가?	없음: 영아안진 있음: 후천성안진(acquired nystagmus)
안진의 저속기(slow phase)가 있는가?	있음: 안진 없음: 속진(saccadic intrusion)
안구의 일차안위에서 안진이 있는가?	없음: 주시유발안진(gaze-evoked nystagmus)
양안이 같은 방향 같은 정도로 안진이 있는가?	아니요: 끄덕임연축(spasmus nutans)
안진이 수평, 수직, 혹은 회선방향인가?	영아안진: 대개는 수평방향이나 수직 혹은 회선방향일 수도 있음.
안진이 좌우 혹은 하방을 볼 때 악화되는가?	악화: 영아안진증후군 호전: 전정눈떨림(vestibular nystagmus)
다른 안과적인 눈운동장애나 전신증상이 있는가?	수직운동장애: 후중뇌증후군(dorsal midbrain syndrome) 내전장애: 핵간안근마비(internuclear ophthalmoplegia) 오심, 이명, 난청: 진정눈떨림(vestibular nystagmus) 안면, 저작근, 인두근육의 주기적인 움직임: 안구구개진전 (oculopalatal tremor)

쉽게 멍이 드는 경향이 있는지bleeding diathesis, 혹은 상기도 감염upper respiratory infection이 매우 자주 걸리지 않는지 등을 확인하는 것이 중요하다.[2] 만약 쉽게 멍이 잘든다고 하면 허만스키-푸드락증후군Hermansky-Pudlak syndrome을 의심해 보아야 하며, 조기 진단은 추후 환자의 장기 예후와 관련이 깊다(그림 2-21). 또한 환자가 눈부심photophobia이 매우 심하다면 완전색맹achromatopsia을 시사하는 소견이고, 다지증이 있거나 다지증으로 수술받은 경력이 있다면 바넷비들증후군Bardet-Beidel syndrome을 시사하는 소견이다. 따라서 안진을 동반하는 여러 질환에서 나타나는 임상적 특징을 잘 알고 있어야 하며, 환자에게 구체적으로 물어보지 않으면 이야기하지 않는 경우가 많으므로 안과의사가 숙지를 해야 될 사항이다.

2) 신체검진physical examination

안진 환자는 동반된 전신적인 증상이 있는 경우가 있으며 전신적인 신체검진을 통하여 진단에 도움이 되는 경우가 있다. 환자의 피부 및 머리 색깔, 외모facial appearance, 동반된 구개열cleft palate, 흉곽이상thoracic dysplasia, 동반된 신경학적인 이상 징후neurological symptoms & sign는 없는지 확인한다. 환자의 피부와 머리색의 이

그림 2-21. 허만스키-푸드락증후군(Hermansky-Pudlak syndrome)

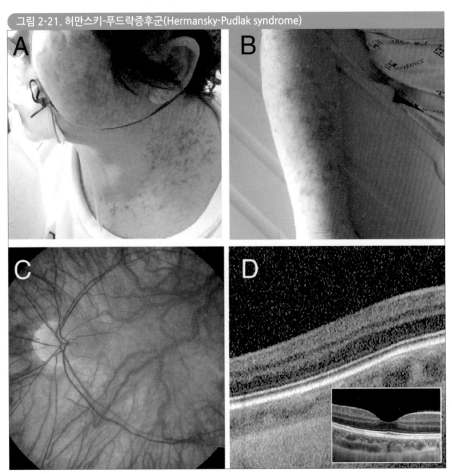

(A, B) 각질화되어 있는 피부백색증이 관찰됨 (C) 안저촬영에서 황반중심오목이 관찰되지 않으며 색소가 부족하다 (D) 빛간섭단층촬영에서 grade 4 망막중심오목형성부전이 관찰됨(흰색 박스) 빛간섭단층촬영에서의 정상인의 황반중심오목

Adapted and reproduced with permission from Sim W, Kim SY, Han J, et al. Extracorporeal Membrane Oxygenation Bridge to Lung Transplantation in a Patient with Hermansky–Pudlak Syndrome and Progressive Pulmonary Fibrosis. Acute Crit Care 2019;34(1):95-8.

상을 확인함으로써 피부백색증 및 눈백색증을 감별할 수 있으며, 구개열과 근골격계이상skeletal dysplasia이 동반되어 있는 경우 스티클러증후군Stickler syndrome 혹은 흉곽이상증후군short-rib thoracic dysplasia일 수 있으며 이런 경우 망막의 주변부까지 자세한 검진이 필요하다. 외모적으로 특이점은 없는지 눈을 누르는 행동으로 움푹 들어가 있지 않은지deep-set sunken eye 확인한다. 치과병력 등을 물어 치아법 랑질형성부전abnormal enamel hypoplasia가 있는지 확인하는 것도 진단에 도움이 될 수 있다. 특히나 이러한 전신적인 증상 등은 정확하게 물어보지 않은 이상 환자가 먼저 말하는 경우가 드물며, 안과의사들이 이러한 전신적인 증상을 체크하는 것이 익숙하지 않아 환자를 볼 때 유의하여야 한다(표 2-2).

표 2-2. 영아안진에서 놓치기 쉬운 전신적인 증상

증상	가능한 진단명
출혈경향과 잦은 상기도감염, 면역저하	허만스키-푸드락증후군(Hermansky–Pudlak syndrome) 체디악-히가시증후군(Chediak–Higashi syndrome)
눈을 주먹이나 손바닥으로 자주 누르는 행동 (oculodigital sign)	레베르선천성흑암시(Leber congenital amaurosis)
심한눈부심(severe photophobia)	완전색맹(achromatopsia)
다지증 혹은 다지증 수술병력, 고도비만	바뎃비들증후군(Bardet-Beidel syndrome)

3) 시력검사

영아안진 환자에서의 시력검사는 매우 중요하다. 보통 영아안진의 발생 시기가 생후 3개월 정도이므로 시력검사가 정확하게 이루어지지 않은 영아기에 안과를 내원하게 된다. 텔러주시선호검사Teller acuity card를 이용한 줄무늬 시력검사를 이용하거나 작은 인형이나 좋아하는 물체를 주시 및 따라보기fix and follow가 되는지 확인한다. 만약 따라보기가 안되고 눈 마주침eye contact이 안 되는 경우 레베르선

표 2-3. 영아안진증후군 세부질환에 따른 평균적인 시력범위

병명	시력 (Decimal)
FRMD7-관련 영아안진	0.5-1.0
눈백색증 혹은 눈피부백색증	0.1-0.2
완전색맹	0.05-0.1
선천비진행야맹	0.1-0.4
레버선천흑암시	안전수동-0.1

*예외적인 경우도 있을 수 있음.

천성흑암시 등의 시력소실을 동반하는 질환일 수 있으므로 망막전위도를 포함한
철저한 안과적 검사가 필요하다(표 2-3).

또한, 안진 환자의 시력검사에서는 양안을 모두 이용한 시력binocular vision도 같이
측정하고 환자가 선호하는 정지구역preferred null zone에서 최대 교정시력을 측정
을 해야 하는데, 환자의 긴장도, 정신적인 상태와 눈의 위치에 따라 안진의 강도
와 시력이 변할 수 있음을 인지하여야 한다. 융합발육이상눈떨림fusional maldevel-
opment nystagmus에서는 양안 각각의 시력을 측정할 때는 가리개로 한눈을 완전히
가리고 측정하면 안진이 심해지므로 +5.00 렌즈를 반대편 눈에 대어 각각의 눈의
시력을 측정해야 한다(표 2-4).

표 2-4. 영아안진 환자에서의 시력측정

- 수직시운동성자극(vertical optokinetic stimulus)으로 눈의 움직임을 확인
- 융합발육이상눈떨림일 때 단안측정시 반드시 +5.00 렌즈를 사용하여 시력측정
- 단안시력측정 외에도 양안시력측정을 함
- 보상적으로 고개돌림이 있는 위치에서도 시력측정
- 2분 이상 관찰하여 주기교대안진이 아닌지 확인
- 눈모음시에 안진이 줄어드는지 확인
- 반복적인 프리즘교대가림검사로 사시각을 측정

4) 세극등현미경검사 slit lamp examination

세극등현미경검사는 안과검사 중에 가장 기본이 되는 검사이다. 안진 환자 중 백
색증 환자에서 동반되는 홍채색소의 소실 정도를 판별하고 홍채의 부분결손에 의
한 홍채투과조명결손iris transillumination defect을 관찰하는 것이 눈백색증과 피부백
색증 등을 정확하게 임상진단하는 데 도움이 된다. 또한, 전안부에 관찰될 수 있
는 후태생고리posterior embryotoxon와 피터스이상Peter's anomaly 등의 전부발생장애
anterior segment dysgenesis 혹은 무홍채증aniridia을 관찰함으로써 환자의 안진의 원인
을 유추할 수 있다. 선천성 백내장 또한 안진을 일으키는 주요 원인이므로 시력저
하를 유발할 수 있는 전안부의 이상이 없는지 자세히 관찰하여야 한다. 특히 세극

등현미경검사는 영아로 내원할 경우 생략되는 경우도 많고 눈떨림만 관찰하고 산동검사를 하는 경우가 있어 무홍채증을 놓치는 경우가 있으므로 협조가 어려울 경우 반드시 펜라이트로라도 관찰하는 것이 좋다.

5) 안구운동검사ocular motility test

안진 환자에서 안구운동검사를 통하여 동반된 안구운동의 장애가 있는지 확인한다. 교대프리즘 가림검사 혹은 크림스키검사Krimsky test를 통하여 동반된 사시 유무를 확인한다. 지속적인 눈의 움직임으로 사시각을 정확하게 재는 것이 어렵지만 반복검사를 통하여 사시 유무를 평가한다. 특히, Self 등은 *FRMD7*-관련 영아안진의 경우 약 44%의 환자에서 사시가 동반된다고 보고하였다.[3] 따라서, 안진 환자에서 다양한 종류의 사시가 동반되어 있을 경우가 있는데 이러한 경우 원시교정을 해야 되는지 우선 확인한 후, 환자가 눈을 모아서 안진을 줄어들게 하는지near fix dampening 혹은 그와 동반된 내사시가 생기는 안진억제증후군nystagmus blockage syndrome을 가지고 있는지 확인하는 것이 중요하다. 교대가림검사를 시행할 때 안진이 특히 심하게 나타나는 관찰하고 가린 눈의 반대방향으로 격동안진jerky nystagmus이 나타나는지 관찰하여 융합발육불량안진증후군fusional maldevelopment nystagmus syndrome 유무와 우안 가림, 좌안 가림시의 눈떨림 양상을 같이 기록한다.

6) 색각검사color vision test

안진 환자에서 추가적으로 색각검사를 시행해보는 것은 환자의 진단에 도움을 주는 경우가 있다. 비록 필수적인 검사는 아니나 협조가 가능한 나이가 되면 한번쯤 시행해보도록 한다. 색각이상은 비교적 흔한 질환으로 남자의 약 5%, 여자의 0.4%에서 적녹색약 혹은 색맹일 수 있으므로 해석에 주의하여야 한다. 색각이상과 동반되어 나타나는 안진이 나타난다면 동반되는 시신경이나 망막에 질환을 가질 가능성이 많다. 따라서, 시신경형성부전, 시신경위축, 황반이상증, 추체이상증cone dystrophy 등을 의심해야 하며, 심한 눈부심과 동반되어 전색맹이 동반이 된다면 완전색맹achromatopsia이나 청색원뿔세포단색형색각blue cone monochromatism일 수 있다.

7) 입체시검사 stereoacuity test

안진 환자에서 입체시검사를 통하여 환자의 양안시 기능을 평가할 수 있으며 치료 전후의 상태를 평가할 수 있다. Liu 등에 의하면 57명의 영아안진증후군 환자에서 오직 8명만 입체시 검사가 정상이었다고 보고하였으며,[4] Bai 등은 12명의 *FRMD7*−관련 영아안진 환자 중 10명의 환자가 융합을 하며, 7명(58.3%)에서 입체시가 존재하였다고 보고 하였다.[5]

8) 조절마비굴절검사 cycloplegia refraction

조절마비굴절검사는 환자의 진단에 단서를 주는 중요한 정보를 제공한다. 고도원시와 안진이 동반되면 레버선천흑암시 혹은 완전색맹 achromatopsia 등 유전성망막질환과 동반된 안진을 암시하는 소견일 수 있으므로, 고도원시와 동반된 안진 환자에서는 반드시 망막전위도검사를 시행하여야 한다.[6,7] 또한, 고도근시와 동반된 눈떨림의 경우 조기에 발생하는 막대원뿔세포 이상증 rod cone dystrophy 혹은 선천비진행야맹 congenital stationary night blindness일 수 있다. 따라서, 조절마비굴절검사는 망막전위도를 추가적으로 검사할지 판단하는 데 중요한 지표로 활용되며, 또한 안진 환자의 적절한 시력발달을 위해 동반된 굴절이상을 조기에 교정하는 것은 반드시 필요하므로, 안진을 주소로 내원한 어린이들에게서 꼭 시행되어야 한다. *FRMD7*−연관 안진과 눈백색증 등의 안진 환자에서는 직난시 with-the-rule astigmatism가 흔히 동반되므로 적절하게 안경처방을 해주는 것이 환자의 시력 발달에 도움이 될 것이다.[8]

9) 안저검사 fundus examination

안저검사를 통하여 안진 환자의 시신경 및 망막 상태를 평가할 수 있다. 안진이 동반된 환자에게서 안저검사는 쉽지 않다. 환자를 진정 sedation하지 않은 상태에서 안저검사 및 조절마비굴절검사는 부정확할 수 있으므로 협조가 어려운 환자에서는 외래에서 진정을 통하여 안저상태를 판단하는 것이 좋다. 동반된 시신경형성부전 optic nerve hypoplasia, 시신경위축 optic atrophy, 망막변성, 망막중심오목형성부전 foveal hypoplasia 등을 확인하기 위해 면밀히 관찰한다. 망막변성은 안진을 동반하

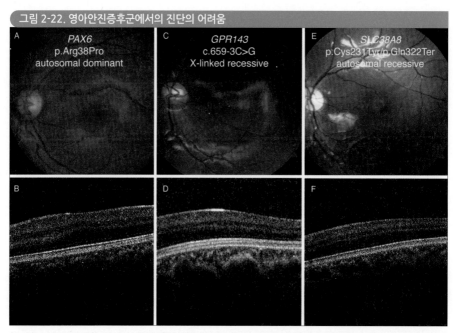

그림 2-22. 영아안진증후군에서의 진단의 어려움

(A, B) *PAX6* 유전이상에 의한 무홍채증 환자에서 안진과 grade 3 망막중심오목형성부전이 관찰됨. (C, D) *GPR143* 유전이상에 의한 안백색증이나 안저의 색소는 거의 정상에 가까우며 grade 4 망막중심오목형성부전이 관찰됨. (E, F) 상염색체 열성으로 유전하는 *SLC38A8* 망막중심오목형성부전에서는 안진과 grade 4 망막중심오목형성부전이 나타남. 이 세가지의 질환은 각기 다른 유전형태(*PAX6*: 우성, *GPR143*: 성염색체열성, *SLC38A8*: 상염색체열성).

는 여러 유전질환에서 나타날 수 있는데 특히 섬모증ciliopathy과 관계된 유전성 망막질환에서는 영아초기에 황반부의 변화가 미세하여 안과의사가 종종 놓치는 경우가 있다. 이러한 섬모증에 의한 황반부 변성은 대리석 색깔의 미세한 변화만 동반이 되는 경우가 많으므로 유의깊게 보아야 한다. 또한 안진 환자에서 망막중심오목형성부전이 동반되는 경우가 많으며, 황반부의 망막중심오목반사foveal reflex가 관찰이 되지 않는지 관찰한다(그림 2-22).

10) 광각안저촬영wide fundus examination

광각안저촬영은 안진 환자에서 망막주변부의 변성을 관찰할 수 있고 안저검사에서 주변부 망막관찰까지 이루어지지 않은 경우가 많아 촬영이 가능한 나이에 검

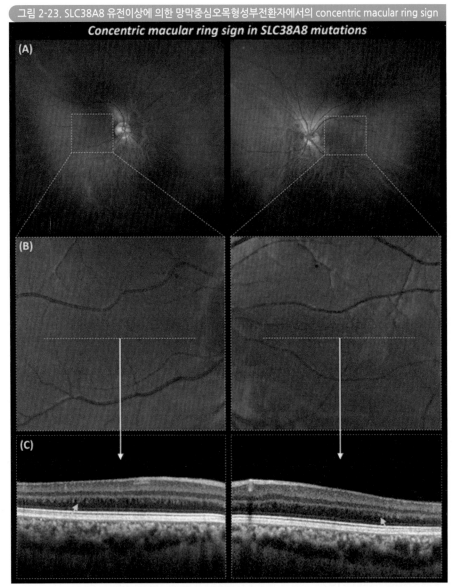

그림 2-23. SLC38A8 유전이상에 의한 망막중심오목형성부전환자에서의 concentric macular ring sign

Concentric macular ring sign in SLC38A8 mutations

(A) 광각안저촬영. (B) 광각안저촬영에서 망막중심오목의 5배 확대 사진. 여러 개의 동심원 모양 원형 띠가 황반중심으로 관찰됨. (C) 빛간섭단층촬영에서 중심와부위의 헨레층(Henle fiber layer)을 따라 수직의 고반사, 저반사 띠가 반복되어 관찰됨.

Adapted and reproduced with permission from Kuht HJ, Han J, Maconachie GDE, et al. *SLC38A8* mutations result in arrested retinal development with loss of cone photoreceptor specialization. Hum Mol Genet 2020;29(18):1989–3002.

사를 고려하는 것이 좋다. 망막의 주변부를 쉽게 관찰할 수 있고 주변부의 망막변성 혹은 미만성과립성망막변성diffuse granular retinal dystrophy을 동반하게 되면 안저검사로 병변을 놓칠 수 있으므로 광각안저촬영으로 확인을 하는 것이 도움이 된다.[9] 또한, 광각안저촬영으로 망막중심오목형성부전을 손쉽게 확인할 수 있는데 황반부 중심을 확대하여 보면 광각안저촬영에서 보이는 동심원모양의 링concentric macular ring sign을 확인함으로써 망막중심오목형성부전을 쉽게 진단할 수 있다(그림 2-23).[10] 따라서, 망막중심오목형성부전이 의심되는 환자에서 빛간섭단층촬영optical coherence tomography에 비협조적인 경우도 있고 망막중심오목fovea의 정확한 위치를 지속적인 안진으로 인하여 빛간섭단층촬영에서 잡기 힘든 경우가 있다. 이러한 경우에서 광각안저촬영을 통하여 망막중심오목형성부전을 확인하는 것이 진단을 뒷받침할 수 있는 객관적인 평가도구로써 활용될 수 있다.

11) 빛간섭단층촬영optical coherence tomography

빛간섭단층촬영은 안진 환자의 망막상태를 평가하는 매우 중요한 검사이다. 하지만 대개는 만 3세 이하에서는 빛간섭단층촬영 검사가 매우 어려우며, 손에 들고 사용할 수 있는 빛간섭단층촬영기hand-held optical coherence tomography로 평가를 할 수 있으나, 전세계적으로 소수의 기관에서만 가능한 방법이다.[11] 따라서 정확한 안저검사를 통하여 우선적으로 망막상태를 평가하는 것이 필수적이며, 빛간섭단층촬영은 협조가 가능한 나이에 반드시 시행해 보는 것이 좋다. 빛간섭단층촬영으로 동반된 망막변성이 없는지, 망막중심오목형성부전의 정도foveal hypoplasia grading를 평가하고 기록한다. 망막중심오목형성부전은 황반 중심부는 정상적으로 가운데가 들어간 형태를 띠는데 외망상층outer plexiform layer, 내핵층inner nuclear layer, 내망상층inner plexiform layer, 신경절세포층ganglion cell layer, 망막신경섬유층retinal nerve fiber layer가 정상적으로는 중심부 밖으로 이동을 하여 황반 중심부에서는 관찰이 되지 않으나 이러한 정상발달과정을 거치지 못하고 5개의 층이 다양한 정도로 남아 있으며, 망막중심오목에서 외핵층이 넓어진 부분outer nuclear layer widening과 광수용체외절이 길어진 부분outer segment lengthening이 관찰되지 않는 정도에 따라 등급을 측정하게 된다(그림 2-24).[12] 영아안진의 환자에서 시행한

그림 2-24. 빛간섭단층촬영을 이용한 망막중심오목형성부전의 정도

Normal foveal structural features detectable using optical coherence tomography	
(a) Extrusion of plexiform layers (b) Foveal pit (c) OS lengthening (d) ONL widening	

Grade of foveal hypoplasia	Structural features detected on optical coherence tomography	Present or absent	Illustration
1a	(a) Extrusion of plexiform layers (b) Foveal pit - Nearly normal (c) OS lengthening (d) ONL widening	(a) Absent (b) Present (c) Present (d) Present	
1b	(a) Extrusion of plexiform layers (b) Foveal pit - Shallow indent (c) OS lengthening (d) ONL widening	(a) Absent (b) Present (c) Present (d) Present	
2	(a) Extrusion of plexiform layers (b) Foveal pit (c) OS lengthening (d) ONL widening	(a) Absent (b) Absent (c) Present (d) Present	
3	(a) Extrusion of plexiform layers (b) Foveal pit (c) OS lengthening (d) ONL widening	(a) Absent (b) Absent (c) Absent (d) Present	
4	(a) Extrusion of plexiform layers (b) Foveal pit (c) OS lengthening (d) ONL widening	(a) Absent (b) Absent (c) Absent (d) Absent	
Atypical	(a) Extrusion of plexiform layers (b) Foveal pit - Shallow (e) ISe disruption	(a) Absent (b) Present (e) Present	

Grade 1a: 망막중심오목중심오목에서 정상적인 오목을 가지고 있으나 망막내층의 구성요소가 관찰되는 경우. Grade 1b: Grade 1a+망막중심오목의 깊이가 얕음. Grade 2: Grade 1b+망막중심오목이 거의 관찰되지 않음. Grade 3: Grade 2+망막시세포외절이 중심부에서 길어진 것(outer segment lengthening)이 관찰되지 않음. Grade 4: Grade 3+망막중심오목에서 망막외핵층의 넓어진 것(outer nuclear layer widening)이 관찰되지 않음. 비전형적인 망막중심오목형성부전은 중심오목의 깊이가 얕으며, 망막시세포외절이 황반중심부에서 소실됨.

ELM, external limiting membrane; GCL, ganglion cell layer; ILM, internal limiting membrane; INL, inner nuclear layer; IPL, inner plexiform layer; OPL, outer plexiform layer; RNFL, retinal nerve fibre layer; RPE, retinal pigment epithelium; ONL, outer nuclear layer; FH, foveal hypoplasia; ISe, inner segment ellipsoid; OS, outer segment; OCT, optical coherence tomography. Adapted and reproduced with permission from Thomas MG, Kumar A, Mohammad S, et al Structural grading of foveal hypoplasia. Ophthalmology 2011;118:1653-60.

표 2-5. 망막중심오목형성부전이 동반된 영아안진에서 감별진단

진단명	Associations	망막중심오목형성부전 정도
미숙아망막병증	극저제충출생아에서 동반되는 경우가 있음	Grade 1-2
FRMD7-연관 영아안진	때때로	대부분 정상 혹은 드물게 Grade 1
PAX6 관련 표현형	거의 항상 동반	Grade 2-3가 많음 Grade 4는 때때로
눈백색증 눈피부백색증	거의 항상 동반	Grade 3-4
허만스키-푸드락증후군	거의 항상 동반	Grade 3-4
체디악히가시증후군	거의 항상 동반	Grade 3-4
스티클러증후군	때때로	Grade 1-2
SLC38A8 망막중심오목형성부전	거의 항상 동반	Grade 3-4
완전색맹(achromatopsia)	12-15세 이후에 뚜렷해짐	비전형적 망막중심오목형성부전

망막중심오목형성부전 정도가 추후 시력의 예측에 도움이 되므로 가능한 나이에 반드시 시행해 볼 것을 권장한다(표 2-5).[13]

12) 망막전위도 electroretinogram

망막전위도는 안진 환자에서 시력저하가 동반된 안진, 눈부심이 심한 경우, 고도근시 혹은 고도원시가 동반된 경우, 빠르게 움직이는 작은진폭의 시계추안진 high-frequency low amplitude pendular nystagmus을 보이는 경우, 망막변성이 보이는 경우에는 필수적으로 시행되어야 한다.[14] 또한, Cibis 등에 의하면 105명의 특발성 영아안진으로 진단을 내렸던 환자들을 망막전위도 검사를 해보니 약 56%의 환자에서 유전성망막질환이 진단이 되었다고 보고하였다.[15] 따라서, 영아안진 환자에서는 시력평가와 망막주변부 관찰, 빛간섭단층촬영 등의 검사로 유전성망막질환의 배제를 위한 검사가 불가능한 경우가 많다. 따라서, 의심이 되는 경우 반드시 진정후에 망막전위도 검사를 시행해보는 것이 추천된다. 망막전위도는 반드시 암순응과 명순응반응 모두 기록하여야 하며 국제임상전기생리학회International Society for Clinical Electrophysiology of Vision.ISCEV 표준으로 (1) Dark-adapted 0.01 ERG, (2) Dark-adapted 3.0 ERG, (3) Dark-adapted 10 ERG, (4) Dark-adapted OPs,

(5) Light-adapted 3.0 ERG, (6) Light-adapted 30 Hz flicker를 기록한다. 외래에서 암순응을 하지 않고 명순응 반응만을 측정해서는 절대 안 되며 암순응 후의 반응을 관찰하여야 완전색맹achromatopsia, 선천비진행야맹congenital stationary night blindness 등의 안진을 일으키는 중요한 유전성망막질환을 놓치지 않는다(그림 2-25).[16]

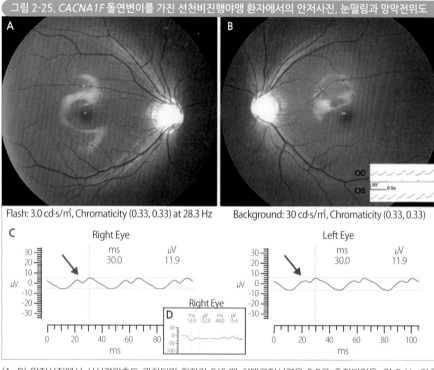

그림 2-25. *CACNA1F* 돌연변이를 가진 선천비진행야맹 환자에서의 안저사진, 눈떨림과 망막전위도

Flash: 3.0 cd·s/㎡, Chromaticity (0.33, 0.33) at 28.3 Hz

Background: 30 cd·s/㎡, Chromaticity (0.33, 0.33)

(A, B) 안저사진에서 시신경위축도 관찰되며 환자가 5세 때 최대교정시력은 0.2로 측정되었음. 약 3 Hz 좌측 (C, D) 망막전위도에서 암순응 3.0 반응에서 음전위파형(negative) ERG을 보이며, 명순응3.0 flicker반응에서 연속된 2개의 정점이 보이는 "double peak" sign이 관찰됨.

Adapted and reproduced with permission from Rim JH, Lee ST, Gee HY, et al. Accuracy of Next-Generation Sequencing for Molecular Diagnosis in Patients With Infantile Nystagmus Syndrome. JAMA Ophthalmol 2017;135(12):1376-85.

표 2-6. 영아안진증후군 환자에서 유전성 망막질환을 시사하는 소견

- 심한 눈부심
- 약한 동공대광반사
- 고도 원시 혹은 고도 근시
- 눈을 누르는 행동
- 영아일 때 따라보기가 안되거나, 8세 이상이 되어서도 최대교정시력이 0.5 미만인 경우

대개는 영아안진 환자의 경우에는 Ganzfeld 망막전위도를 수행하기 어려운 4세 미만에 내원하는 경우가 많다. 망막전위도는 대개 생후 6개월 이전에는 b-파의 파형이 낮게 나오는 경우가 많으며, 전신마취를 하게 될 경우 마취의 정도에 영향을 받기도 한다. 또한 미숙아의 경우 보정연령을 고려하여 망막전위도를 수행하는 시기를 결정하는 것이 좋다. 진정을 하더라도 아이가 움직이는 경우가 많으며 전신마취하에 시행한다면 각막콘택트렌즈전극corneal contact lens electrode을 사용할 수 있으나 진정을 한 후에는 각막콘택트렌즈전극을 사용하여 촬영하기가 어렵다. 따라서, 외래에서 진정 후에 검사를 진행할 때는 검결막전극conjunctival wire loop electrode 혹은 피부전극skin electrode으로 망막전위도를 촬영한다.

안진 환자에서는 망막전위도 결과를 바탕으로 진단을 하기에 애매하거나 결과가 확정적이지 않은 경우가 흔히 있다. 선천비진행야맹 환자의 경우 full-field ERG의 결과가 확실치 않은 상황에서는 망막전위도의 확장프로토콜extended protocol인 photopic On-Off ERG를 시행해볼 수 있으며, 이 검사는 선천비진행야맹, 소아망막층간분리juvenile retinoschisis, 배턴병Batten disease, 자가면역 망막병증autoimmune retinopathy의 감별 진단에 도움이 된다.[17] 따라서, 안진 환자의 정확한 임상진단을 위하여 망막전위도의 다양한 측정 프로토콜을 이용하여 검사를 할 수 있다.

13) 시유발전위도visual evoked potential

단순 시유발전위도는 안진 환자에서 진단적 가치가 크지 않다. 흔하게 시행되는 검사로는 pattern-reversal 시유발전위도 검사는 스크린의 중앙을 주시하면서 진행하는 검사로 안진 환자에서는 눈의 지속적인 움직임으로 인하여 주시점이 계속 움직여 시력은 정상임에도 불구하고 P100의 반응이 잘 나오지 않은 경우가 많아 해석에 유의해야 한다. 따라서, pattern onset/offset 시유발전위도를 시행하기도 하며, 꾀병 환자와 안진 환자에서는 유용하나 각 개인마다 파형이 다양할 수 있어 해석에 유의해야 한다.[18] Pattern onset/offset 시유발전위도는 75 ms에서 양의 파형, 125 ms에서 음의 파형, 그리고 150 ms에서 다시 양의 파형을 보이며 C1, C2, C3의 파형으로 명명한다. 소아에서는 시유발전위도검사는 환자가 깨어 있는 상태로 집중을 하기 좋은 환경에서 시행하는 것이 좋으며, 검사 결과지에는 협조 정도와 깨어 있는 상태에서 시행했는지 진정후에 측정했는지 기록을 같이 해준다.[18] 하지만, 영아기에서는 두피에 붙여 놓은 전극을 아이가 잡아당겨 빼는 경우가 많으며 피부전극을 붙이기도 쉽지 않아 진정 후 섬광시유발전위도flash visual evoked potential만 측정하기도 한다.

안진 환자에서 단순 시유발전위도보다는 시신경교차부위와 시신경교차후부의 시각경로postchiasmal visual pathway의 이상을 알아보기 위해서 다중채널시유발전위도multi-channel visual evoked potential를 시행하여야 한다(그림 2-26).[19] 후극부의 중앙 부위 전극인 Oz 양쪽 옆으로 두개의 O_1, O_2 전극을 위치시켜 검사를 하며 pattern의 자극은 일반적인 시유발전위도를 시행할 때는 전체 자극의 사이즈 15도 이상

그림 2-26. 다중채널시유발전위도를 이용하여 시신경교차이상을 관찰함

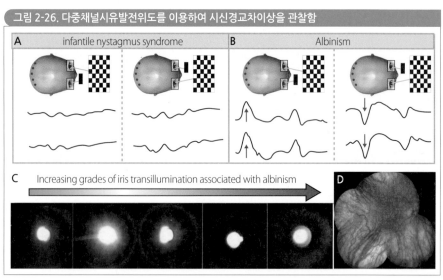

(A, B) 자극은 단안에 패턴형태로 주며, 반대안은 가린다. 후극부 중심부의 전극외에도 추가적으로 2개 혹은 4개의 전극을 우측, 좌측에 배치한다. 그 후 1-5전극 혹은 2-4 전극의 차이를 나타내는 파형을 분석하면 특발성영아안진 환자에서는 차이가 없으나 백색증 환자에서는 양안에서 한쪽눈은 양의 파형을 다른쪽에서는 음의 파형을 나타낸다. (C) 눈백색증환자에서 세극등현미경검사로 촬영한 홍채투과조명결손(iris transillumination defect) 정도. (D) 백색증환자에서 보이는 안저의 색소소실

Adapted and reproduced with permission from Thomas MG, Maconachie G, Sheth V, et al. Development and clinical utility of a novel diagnostic nystagmus gene panel using targeted next-generation sequencing. Eur J Hum Genet 2017;25(6):725-34.

을 추천하나 다중채널시유발전위도에서는 전체 자극의 사이즈를 30도 이상을 추천한다. 다중채널시유발전위도는 chiasmal misrouting을 일으키는 질환들에서 시신경교차비대칭crossed asymmetry가 있는지 평가를 할 때 사용되며 눈백색증, 눈피부백색증oculo-cutaneous albinism, *SLC38A8* 이상에 의한 망막중심오목형성부전*SLC38A8* foveal hypoplasia, 허만스키-푸드락증후군Hermanksy-Pudlak syndrome 등의 환자에서 시행되어야 하며[20] 홍채가 정상이며 망막중심오목형성부전만 있는 *PAX6*관련표현형 *PAX6*-related phenotype에서 백색증albinism과 감별할 때 사용할 수 있다. 다중채널시유발전위도를 시행하였다면 60 ms과 300 ms에서 우측 후두부전극과 좌측 후두부전극에서의 파형차이를 계산하여 chiasmal coefficient를 기록하며 −1에서 +1까지의 값을 가지는데 정상인은 양의 값을, chiasmal misrouting이 있는 환자는 음의 값을 가지게 된다.[21]

14) 뇌자기공명영상촬영brain MRI

뇌 자기공명영상촬영은 안과로 내원하는 영안안진증후군 환자에서 일차적으로 고려해야 하는 검사항목은 아니다. 이전의 보고에 의하면 안진 환자에서 신경학적인 이상을 보이지 않는 경우 자기공명영상의 진단적 가치는 크지 않다고 보고하였으며, 신경학적인 이상을 동반하지 않은 영아안진 환자에서 뇌 자기공명영상이 진단에 도움이 된 경우는 한 증례도 없었다고 보고하고 있다.[22] 하지만, 신경학적인 징후를 보이는 경우, 발달이 느린 경우delayed development, 지능저하intellectual disability, 시신경위축optic atrophy 혹은 시신경부종optic disc swelling을 보이는 경우, 후천성 안진acquired nystagmus에서는 뇌 자기공명영상에서는 반드시 시행되어야 한

표 2-7. 영아안진에서 뇌 자기공명영상을 반드시 촬영해보아야 하는 경우

- 심발달장애, 지적장애가 있는 경우
- 신경학적인 증상이나 징후가 나타난 경우
- 안진이 생후 6개월 이후에 발견된 경우
- 시신경부종 혹은 위축
- 시신경형성부전
- 끄덕임연축
- 안진의 방향이 수직인 경우

다(표 2-7). 또한, 양안이 비대칭으로 떨리는 안진의 경우 시신경교종optic pathway glioma이 동반되어 있을 수 있으므로 뇌 자기공명영상을 꼭 시행하도록 한다.

15) 안진계|nystagmography

안진계는 안진의 정확한 파형을 분석하고 안진의 된떨림의 방향이 변하는지 혹은 저속기slow phase의 파형이 증속형인지 가속형인지 파악할 수 있는 중요한 검사이며, 다양한 치료 후의 안진의 파형의 변화를 알아보는 객관적인 검사이다. 사람의 눈으로 안진의 정도와 주기, 저속기가 감속형인지 증속형인지 알아내기는 어려우며 객관적이지 않다. 따라서, 객관적인 도구로 안진계를 이용하며 대표적으로 공막탐색코일안진계scleral search coil, 전기안진검사electrooculography, 비디오안진검사 video nystagmography가 있다. 공막탐색코일안진계scleral search coil를 이용한 안진계가 가장 정확하여 회선안진torsional nystagmus도 정교하게 기록할 수 있으나, 검사 세팅이 오래 걸리며 검사를 진행하는 데 환자의 불편감을 초래하여, 최근에는 비디오안진검사가 임상에서 주로 활용되고 있다(그림 2-27).

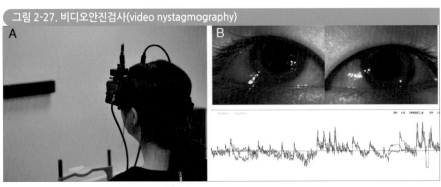

그림 2-27. 비디오안진검사(video nystagmography)

(A) 비디오안진검사(video nystagmography; SLMED, Seoul, Korea). (B) (위) 적외선카메라를 이용한 양안의 눈운동을 기록. (아래) 비디오안진검사(video nystagmography)에서 우측격동안진이 관찰됨 (red) 우안 (blue) 좌안

③ 유전자검사

안진 환자에서 환자의 정확한 진단은 안진 자체를 치료하는 방법은 없으나 시력 예후, 미래가족계획 상담future family planning, 치료에 매우 중요하다. 또한 *RPE65* 유전이상에 의한 레베르선천성흑암시Leber congenital amaurosis의 유전자 치료제인 Luxturna™ (voretigene neparvovec)이 미국식약처에 승인된 후 시판이 되어 안진이 동반되는 레베르선천성흑암시 환자에서 유전자 치료가 되는 환자도 있을 수 있 어,[23] 현재 유전자 검사는 필수적인 검사로 자리잡고 있다. 또한, 영아안진증후군 으로 내원하는 시니어로큰증후군Senior Loken syndrome에서는 빠른 유전진단으로 추후 신장이식을 미리 준비할 수 있는 시간을 마련하는 데 유전진단이 크게 도 움이 되는 경우이다(그림 2-28).[24] 이전에는 생어염기서열분석Sanger sequencing으로 1977년에 개발되어, 약 25년 동안 널리 쓰인 염기서열분석방법으로 각 유전자의 엑손exon 부위를 증폭하여 시퀀싱을 하여 노동과 비용이 많이 소요되었으나, 차세 대염기서열분석next-generation sequencing을 통하여 원하는 유전자의 엑손exon 부위 를 한번에 분석을 할 수 있으며, 비용도 점차 낮아지고 있어 최근에는 패널염기서 열분석targeted panel sequencing, 전장엑솜염기서열분석whole exome sequencing, 전장유 전체염기서열분석whole genome sequencing 등의 방법이 임상에 적용되고 있다.

그림 2-28. 시니어로큰증후군 환자의 안저사진, 빛간섭단층촬영, 신장초음파와 복부단층촬영영상

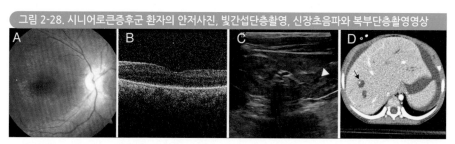

(A) 안저촬영에서 미만성망막변성이 관찰됨 (B) 빛간섭단층촬영에서 망막시세포 외절의 변성이 보임 (C, D) 신 장초음파에서 콩팥황폐증이 보이며, 복부단층촬영에서 간내의 담관 확장이 관찰됨. 환자는 동시에 간, 신장이식 을 받고 경과 관찰 중임.

Adapted and reproduced with permission from Rim JH, Lee ST, Gee HY, et al. Accuracy of Next-Generation Sequencing for Molecular Diagnosis in Patients With Infantile Nystagmus Syn-drome. JAMA Ophthalmol 2017;135(12):1376-85.

매우 다양한 유전 원인이 영아안진을 일으키므로 유전자 패널에는 안진을 일으키는 유전자를 모두 포함시켜야 된다(표 2-8).[20,25,26] GeneDx의 확장안진패널expanded nystagmus panel에는 약 825개의 유전자가 포함되어 있으며,[27] 대개 약 1,000개 미만의 원하는 유전자를 구성하여 염기서열분석을 하는 패널염기서열분석은 현재 임상적으로 널리 이용이 되고 있다. 우리나라에서는 망막색소변성retinitis pigmentosa, 선천성 난청congenital hearing loss, 샤코트-마리-투스병Charcot-Marie-Tooth disease 및 다양한 유전성 질환에서 보험 적용이 2017년 3월부터 적용되고 있다. 따라서, 영아안진 환자에서는 바쁜 외래 환경에서 다양한 임상검사를 적용하기 힘드므로, 유전자검사를 첫번째로 고려하기도 하며, 유전자검사 결과에 따라 그에 맞게 필요한 임상검사를 선별적으로 하기도 한다(그림 2-29).

표 2-8. 영아눈떨림증후군과 연관된 비교적 흔하게 관찰되는 유전자

우성유전	열성유전	성염색체연관유전
PAX6 (Aniridia)	SLC38A8 (FHONDA)	FRMD7-related IN
PAX2 (Papillorenal syndrome)	TYR (OCA)	GPR143 (OA)
CACNA1A (Episodic ataxia, type 2)	TYRP1 (OCA)	CACNA1F (CSNB)
	OCA2 (OCA)	NYX (CSNB)
	SLC24A5(OCA)	
	SLC45A2 (OCA)	

CSNB = congenital stationary night blindness; FHONDA = foveal hypoplasia optic nerve decussation defect and anterior segment dysgenesis; OA = ocular albinism; OCA = oculocutaneous albinism; IN = infantile nystagmus

1) 패널염기서열분석targeted panel sequencing

패널염기서열분석은 전장엑솜염기서열분석보다 원하는 유전자의 시퀀싱깊이sequencing depth를 평균적으로 ×500-×1000 정도로 볼 수 있어 원하는 유전자에서의 변이를 찾는 데 보다 효율적이며, 패널을 제작할 때 원하는 깊은 인트론deep intron 부위도 넣을 수 있다는 장점이 있다. 또한, 엑솜exon 여러 개의 결손deletion 혹은 중복duplication이 아닌 한 개의 엑솜single exon의 복제수 변이가 있을 때는 분석에서 전장엑솜염기서열분석보다 더 민감하게 검출할 수 있는 장점이 있다.[28] 이때 고려할 점은 안진을 일으키는 많은 유전자들이 모두 포함이 되어 있는지 확인하

그림 2-29. 영아안진 환자에서의 진단 모식도

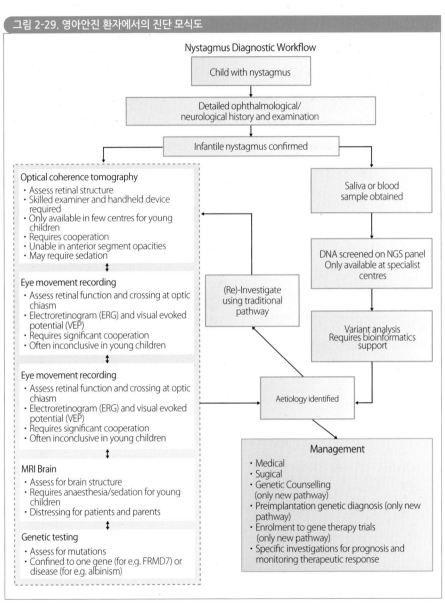

전통적으로는 환자를 진찰한 후 빛간섭단층촬영, 뇌 자기공명영상촬영, 전기안진검사, 망막전위도 및 시유발전위도를 촬영하여 진단한 후에 추가적으로 생어염기서열분석으로 한 가지 특정유전자만 선별하여 검사를 하였다면, 최근에는 영아안진 환자에서 차세대염기서열분석으로 바로 진단하여 필요한 검사를 추가적으로 시행하며, 환자의 미래가족계획상담, 새로운 유전자치료 임상시험 정보제공 등의 새로운 패러다임으로 변하고 있다.

Adapted and reproduced with permission from Thomas MG, Maconachie GDE, Sheth V, et al. Development and clinical utility of a novel diagnostic nystagmus gene panel using targeted next-generation sequencing. Eur J Hum Genet 2017;25(6):725-34.

는 것이 중요하다. 특정 유전자가 포함되어 있지 않으면진단을 놓치는 경우도 있을 수 있으므로 안진을 일으키는 가능한 모든 유전자들을 포함하는 것이 좋으며, 유전검사를 하다보면 검사자가 생각지도 못한 진단이 나오는 경우가 있기 때문이다. Thomas등은 336개의 유전자 패널을 이용하여 안진을 가진 환자 15명에서 약 80%의 진단율을 보였으며, 12명 중 3명은 분자유전학적인 진단 후에 임상진단이 바뀐 경우라고 보고하고 있다.[20] 임 등은 113개의 유전자 패널을 이용하여 48명의 영아안진 환자를 검사하였을 때, 진단율이 약 58.3%로 보고하였으며, *FRMD7*, *GPR143*, *PAX6*가 주요 원인 유전자임을 보고하였다.[25] 또한, 타겟 패널을 구성할 때는 *FRMD7* c.285−118C>T, *GPR143* c.659−131T>G 변이 부위 등 알려진 깊은 인트론deep intronic 부위를 포함하여 구성한다면 진단율을 올리는 데 도움이 될 수 있을 것이다(그림 2-30).[29,30]

그림 2-30. 패널염기서열분석과 전장엑솜염기서열 분석의 Integrative Genomic Viewer

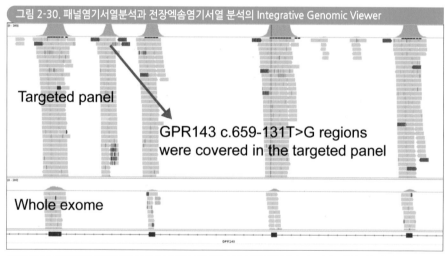

전반적으로 패널염기서열분석이 전장엑솜염기서열보다 시퀀싱깊이가 깊다. (scale)×200. 잘 알려진 *GPR143* 유전자의 깊은 인트론(deep intron) c.659−131T>G 부위를 패널을 제작할 때 넣어놓으면 전장엑솜은 해당부위의 분석을 하지 못하지만 패널염기서열분석은 가능하다는 장점이 있다.

2) 전장엑솜염기서열분석whole exome sequencing

최근 패널염기서열분석 외에도 연구목적으로 전장엑솜염기서열분석 방법도 많이 이용되고 있다. 타겟패널과는 달리 단백질을 전사하는 모든 유전자를 포함하고 있어 정기적으로 패널을 갱신할 필요가 없으며, 새로운 후보 유전자가 발굴되었을 때 기존의 데이터를 다시 분석할 수 있는 장점이 있다. 하지만 기본적으로 많은 유전자를 시퀀싱함으로써 평균적인 시퀀싱깊이sequencing depth는 약 ×100-200 정도이므로 한 개의 엑손 복제수변이copy number variation는 생물정보학분석도구bioinformatic analysis tool로 놓치는 경우도 있으며, 유전자의 모든 부위에서 충분한 시퀀싱깊이로 읽을 수 없어 변이를 놓치는 경우도 존재할 수 있다.

3) 전장유전체염기서열분석whole genome sequencing

전장유전체염기서열분석은 유전체의 조절부위, intron부위를 포함한 모든 유전정보를 분석하는 방법이다. 평균적으로 시퀀싱깊이 ×30 정도로 시퀀싱을 하게 되며, 정보를 생산하는 데 비용이 많이 들며, 데이터의 정보량이 커서 유전체분석을 시행하는 데 많은 시간과 노력이 필요하다. 하지만 복제수변이copy number variation 분석이 보다 용이하며 큰 구조변이large structural variation를 보다 민감하게 검출할 수 있으며 역위inversion, 전좌translocation 등의 복합적 재배열complex rearrangement 등도 분석이 가능하다. 또한, 전장유전체염기서열분석의 정보에서 미토콘드리아 염기서열 정보를 추출하여 전장미토콘드리아염기서열분석도 가능한 것이 장점이다(표 2-9).[31]

	표 2-9. 차세대염기서열분석 3가지 방법의 장점과 단점		
	패널염기서열분석	**전장엑솜염기서열분석**	**전장유전체염기서열분석**
장점	깊은 시퀀싱깊이 결과해석이 용이 한번에 많은 샘플을 시퀀싱 가능	중간정도의 시퀀싱깊이 결과해석이 용이 새로운 유전자가 발굴되었을 때 추후 재분석이 가능	라이브러리를 준비하는데 비교적 간편 중합연쇄반응 편향이 없음 인트론 혹은 조절부위의 변이도 검출가능 구조변이검출에 용이
단점	주기적으로 갱신되어야 함 알려진 유전자에 대한 변이정보만 존재	시퀀싱깊이가 일정하지 않음 복잡한 구조변이 검출 불가능	데이터사이즈가 크며, 전사영역 외의 변이 해석이 어려움

이렇듯 영아안진증후군 환자에서 기존에는 시력검사, 안저촬영, 망막전위도, 시유발전위도, 안저촬영, 안진계, 빛간섭단층촬영 등 여러 종합적인 정보를 이용하여 진단을 하고 *FRMD7*, *GPR143* 혹은 *PAX6* 유전자들을 임상정보를 바탕으로 어떤 유전자를 검사할지 정한 후 생어염기서열분석Sanger sequencing 방법으로 유전진단을 하였다. 하지만 최근에는 영아안진 환자가 내원하였을 때 차세대염기서열분석next-generation sequencing을 통하여 정확한 유전진단을 하고 그에 따라, 시력예후 상담, 산전유전진단, 새로운 유전자치료의 환자등록으로 환자에게 개개인의 맞춤 접근법이 시도되는 추세이다.

|참고문헌|

1. Weiss AH, Biersdorf WR. Visual sensory disorders in congenital nystagmus. Ophthalmology. 1989;96(4):517-23.
2. Abalem MF, Rao PK, Rao RC. Nystagmus and Platinum Hair. JAMA. 2018;319(4):399-400.
3. Self JE, Shawkat F, Malpas CT, Thomas NS, Harris CM, Hodgkins PR, et al. Allelic variation of the *FRMD7* gene in congenital idiopathic nystagmus. Arch Ophthalmol. 2007;125(9):1255-63.
4. Liu C, Yang J. Stereopsis disorders in patients with congenital nystagmus. Yan Ke Xue Bao. 1997;13(1):1-4.
5. Bai D, Shi W, Qi Z, Li W, Wei A, Cui Y, et al. Clinical feature and waveform in infantile nystagmus syndrome in children with *FRMD7* gene mutations. Sci China Life Sci. 2017;60(7):707-13.
6. Wagner RS, Caputo AR, Nelson LB, Zanoni D. High hyperopia in Leber's congenital amaurosis. Arch Ophthalmol. 1985;103(10):1507-9.
7. Kohl S, Jägle H, Wissinger B, Zobor D. Achromatopsia. In: Adam MP, Ardinger HH, Pagon RA, Wallace SE, Bean LJH, Stephens K, et al., editors. GeneReviews(®). Seattle.WA): University of Washington, Seattle Copyright © 1993-2020, University of Washington, Seattle. GeneReviews is a registered trademark of the University of Washington, Seattle. All rights reserved.; 1993.
8. Fresina M, Benedetti C, Marinelli F, Versura P, Campos EC. Astigmatism in patients with idiopathic congenital nystagmus. Graefes Arch Clin Exp Ophthalmol. 2013;251(6):1635-9.
9. Yoo TK, Han SH, Han J. RP2 Rod-Cone Dystrophy Causes Spasmus Nutans-Like Nystagmus. J Neuroophthalmol. 2020.
10. Cornish KS, Reddy AR, McBain VA. Concentric macular rings sign in patients with foveal hypoplasia. JAMA Ophthalmol. 2014;132(9):1084-8.
11. Lee H, Sheth V, Bibi M, Maconachie G, Patel A, McLean RJ, et al. Potential of handheld optical coherence tomography to determine cause of infantile nystagmus in children by

using foveal morphology. Ophthalmology. 2013; 120(12):2714-24.

12. Thomas MG, Kumar A, Mohammad S, Proudlock FA, Engle EC, Andrews C, et al. Structural grading of foveal hypoplasia using spectral-domain optical coherence tomography a predictor of visual acuity? Ophthalmology. 2011;118(8):1653-60.

13. Rufai SR, Thomas MG, Purohit R, Bunce C, Lee H, Proudlock FA, et al. Can Structural Grading of Foveal Hypoplasia Predict Future Vision in Infantile Nystagmus?: A Longitudinal Study. Ophthalmology. 2020;127(4):492-500.

14. Lambert SR, Taylor D, Kriss A. The infant with nystagmus, normal appearing fundi, but an abnormal ERG. Surv Ophthalmol. 1989;34(3):173-86.

15. Cibis GW, Fitzgerald KM. Electroretinography in congenital idiopathic nystagmus. Pediatr Neurol. 1993;9(5):369-71.

16. McCulloch DL, Marmor MF, Brigell MG, Hamilton R, Holder GE, Tzekov R, et al. ISCEV Standard for full-field clinical electroretinography.2015 update). Doc Ophthalmol. 2015;130(1):1-12.

17. Sustar M, Holder GE, Kremers J, Barnes CS, Lei B, Khan NW, et al. ISCEV extended protocol for the photopic On-Off ERG. Doc Ophthalmol. 2018; 136(3):199-206.

18. Odom JV, Bach M, Brigell M, Holder GE, McCulloch DL, Mizota A, et al. ISCEV standard for clinical visual evoked potentials:.2016 update). Doc Ophthalmol. 2016;133(1):1-9.

19. Hoffmann MB, Lorenz B, Morland AB, Schmidtborn LC. Misrouting of the optic nerves in albinism: estimation of the extent with visual evoked potentials. Invest Ophthalmol Vis Sci. 2005;46(10):3892-8.

20. Thomas MG, Maconachie G, Sheth V, McLean RJ, Gottlob I. Development and clinical utility of a novel diagnostic nystagmus gene panel using targeted next-generation sequencing. Eur J Hum Genet. 2017;25(6):725-34.

21. Jansonius NM, van der Vliet TM, Cornelissen FW, Pott JW, Kooijman AC. A girl without a chiasm: electrophysiologic and MRI evidence for the absence of crossing optic nerve fibers in a girl with a congenital nystagmus. J Neuroophthalmol. 2001;21(1):26-9.

22. Bertsch M, Floyd M, Kehoe T, Pfeifer W, Drack AV. The clinical evaluation of infantile nystagmus: What to do first and why. Ophthalmic Genet. 2017;38(1):22-33.

23. Russell S, Bennett J, Wellman JA, Chung DC, Yu ZF, Tillman A, et al. Efficacy and safety of voretigene neparvovec.AAV2-hRPE65v2) in patients with RPE65-mediated inherited retinal dystrophy: a randomised, controlled, open-label, phase 3 trial. Lancet. 2017;390(10097):849-60.

24. Ellingford JM, Sergouniotis PI, Lennon R, Bhaskar S, Williams SG, Hillman KA, et al. Pin-pointing clinical diagnosis through whole exome sequencing to direct patient care: a case of Senior-Loken syndrome. Lancet. 2015;385 (9980):1916.

25. Rim JH, Lee ST, Gee HY, Lee BJ, Choi JR, Park HW, et al. Accuracy of Next-Generation Sequencing for Molecular Diagnosis in Patients With Infantile Nystagmus Syndrome. JAMA Ophthalmol. 2017;135(12):1376-85.

26. Choi JH, Jung JH, Oh EH, Shin JH, Kim HS, Seo JH, et al. Genotype and Phenotype Spectrum of FRMD7-Associated Infantile Nystagmus Syndrome. Invest Ophthalmol Vis Sci. 2018;59(7):3181-8.

27. Nystagmus Xpanded Panel Gene List: GeneDx; [Available from: https://www.genedx.com/wp-content/uploads/2017/11/200044-Nystagmus- Xpanded-Gene-List.pdf.

28. Consugar MB, Navarro-Gomez D, Place EM, Bujakowska KM, Sousa ME, Fonseca-Kelly ZD, et al. Panel-based genetic diagnostic testing for inherited eye diseases is highly accurate and

reproducible, and more sensitive for variant detection, than exome sequencing. Genet Med. 2015;17(4):253-61.

29. Naruto T, Okamoto N, Masuda K, Endo T, Hatsukawa Y, Kohmoto T, et al. Deep intronic GPR143 mutation in a Japanese family with ocular albinism. Sci Rep. 2015;5:11334.

30. Thomas MG, Crosier M, Lindsay S, Kumar A, Araki M, Leroy BP, et al. Abnormal retinal development associated with *FRMD7* mutations. Hum Mol Genet. 2014;23(15):4086-93.

31. Turro E, Astle WJ, Megy K, Gräf S, Greene D, Shamardina O, et al. Whole-genome sequencing of patients with rare diseases in a national health system. Nature. 2020;583(7814):96-102.

안진의 치료

임현택 이병주

안진 치료의 목표는 안구의 떨림을 감소시킴으로써 1) 시력을 향상시키고, 2) 진동시를 줄이고, 3) 안진에 의한 이상 두위를 개선하기 위함이다. 모든 종류의 안진이 치료를 요하는 것은 아니어서, 주시유발성 안진gaze evoked nystagmus 및 속진 saccadic intrusion 등은 일반적으로 시각적 증상을 초래하지 않으므로 특별한 치료를 요하지 않는다. 안진 치료의 대원칙은 정상적인 안구운동gaze-holding eye movements 에 영향을 주지 않으면서 비정상적인 안구운동abnormal ocular oscillations을 억제하는 것이다. 안진 환자에서 치료를 시작함에 있어서, 유의미한 굴절이상의 교정이 시기능 개선의 첫 단계임을 잊지 않아야 한다.

1. 영아안진증후군과 후천성 안진의 치료 원칙

영아안진증후군Infantile nystagmus syndrome의 치료는 시각 증상의 정도, 동반된 구심성 시각회로의 이상, 그리고 안진의 특성에 따라 결정된다. 영아안진증후군 환자의 증상을 결정하는 주요한 요인은 '망막중심오목주시시간foveation periods'과 '망막이미지 미끄러짐retinal image slip' 속도이다. 망막중심오목주시시간이란 시선이 타겟으로부터 멀어지는 가속기가 시작되기 전에 타겟 이미지가 황반부에 고정되는 시간을 말하는데, 영아안진증후군 환자의 시력은 주로 망막중심오목 주시시간과 관계된다.[1] 또한, 망막 이미지의 속도를 일컫는 망막 이미지 미끄러짐이 4-5º/sec를 초과하게 되면 시력 감소와 진동시가 초래된다.[2]

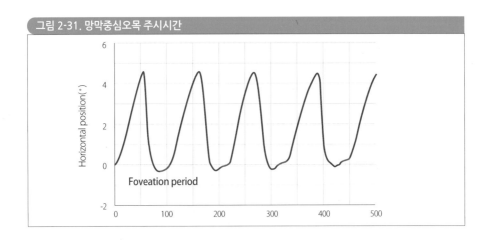

그림 2-31. 망막중심오목 주시시간

적절한 망막중심오목주시시간이 확보된 영아안진증후군 환자의 경우에서의 저시력은 대부분 시신경 이상 혹은 망막중심오목형성부전foveal hypoplasia 등 구심성 시각회로의 동반 이상에 의해 초래되며, 이 경우 안진의 감소가 시력 향상에 도움이 되지 않는다. 대부분의 영아안진증후군 환자들은 진동시를 호소하지 않으므로 진동시 억제를 위해 치료를 요하는 경우는 드물다.[3]

후천성 안진은 진동시 등의 시각 증상을 동반하는 경우가 흔하며, 비수술적 치료가 효과적인 경우가 많다.

② 안진의 비수술적 치료

안진의 비수술적 치료는 약물 치료, 화학적 신경차단 치료, 광학적 치료 등이 있다.

1) 약물 치료

(1) 말초성 전정안진peripheral vestibular nystagmus

말초 전정기관의 불균형으로 인해 초래되는 안진은 보통 중추적응기전에 의해 수일 내로 자연호전되는 경과를 보인다. 이들 환자에서 약물 요법은 주로 현훈과 구역감을 개선시킬 목적으로 이용되며, 항히스타민제, 항콜린제 등이 흔히 사용된다. 양성 돌발성 체위성 현훈benign paroxysmal positional vertigo은 약물치료보다 이석치환술이 효과적이다. 전정 신경염에서는 고용량 베타히스틴betahistine 치료가 증상 발현 빈도를 낮추는 효과를 보임이 알려져 있다.[4]

(2) 중추성 전정안진peripheral vestibular nystagmus

① 하향안진downbeat nystagmus

하향안진은 전정소뇌vestibulocerebellum를 침범하는 다양한 질환에서 동반된다. GABAA 수용체 작용제인 클로나제팜clonazepam[5] 및 GABAB 수용체 작용제인 바클로펜baclofen[6]은 하향안진을 개선하고 이에 동반된 진동시를 줄이는 데에 효과적이라는 보고가 있으나, 오히려 일부 환자에서는 안진이 악화된다는 보고도 있다. 항콜린성 약물인 스코폴라민scopolamine을 경정맥 투여 시 하향안진이 감소됨이 알려져 있으나, 경구 항콜린성 약물인 트리헥시페니딜trihexyphenidyl 복용 시에는 안진 감소 효과가 적은 편이다. 또한, 항콜린성 약물은 구강 건조, 심박 증가, 고체온, 환각 등의 전신 부작용이 있어서 흔히 사용되지 않는다.

포타슘 통로 억제제인 아미팜프리딘amifampridine; 3,4-diaminopyridine[7,8]이 하향안진을 억제하는 효과가 있음이 무작위 배정 임상연구를 통해 보고된 바 있다. 대부분 환자에서 부작용이 없으나, 드물게 경련 등의 부작용이 나타날 수 있다.

② 상향안진upbeat nystagmus

상향안진은 주로 뇌간brainstem 병변에서 동반된다. 초기에 심한 시각 증상을 유발하나, 경과 중에 안진이 저절로 감소하거나 하향안진으로 바뀌는 경우가 많다. 하향안진과 마찬가지로 아미팜프리딘 3,4-diaminopyridine이 상향안진의 치료제로 사용될 수 있으며, 바클로펜 또한 상향안진을 줄이는 효과가 있는 것으로 보고되어 있다.

(3) 주기교대안진periodic alternating nystagmus

주기교대안진은 매 100-120초마다 신속기의 방향이 역전되는 수평안진으로서, 선천성인 경우가 많으나 드물게 후천성으로 발생할 수 있으며 중추성 전정안진이 그 대표적인 예이다. GABAB 수용체 작용제인 바클로펜[9], N-methyl-d-aspartate (NMDA) 수용체 억제제인 메만틴memantine[10] 등이 주기교대안진의 억제에 효과적임이 보고된 바 있다. 영아기에 발생한 주기교대안진의 경우 후천적 주기교대안진에 비해 바클로펜 치료에 반응하지 않는 경우가 많다.

(4) 시소안진seesaw nystagmus

시소안진은 두 눈이 교대로 반대방향의 수직성 벡터를 갖는 회선성 안진으로, 가바펜틴gabapentin, 클로나제팜clonazepam에 의해 완화된다는 증례보고들이 있다.[11]

(5) 후천성 시계추 안진acquired pendular nystagmus

① 다발경화증

다발경화증 등의 탈수초성 질환에 동반되는 후천성 시계추안진은 대부분 시력저하와 진동시를 동반하기 때문에 치료를 요한다. 주시유지 작용을 하는 신경적분체neural integrator의 기능이상이 후천성 시계추안진의 원인으로 추정되고 있다. Gamma-amino butyric acid (GABA)성 신경세포가 신경적분체의 기능을 조절한다는 전임상연구에 기반하여, 다양한 GABA 작용체들을 이용한 후천성 시계추안진 치료가 시도되어 왔다. 하지만 클로나제팜, 바클로펜, 비가바트린vigabatrin 등의 GABA 작용체가 후천성 시계추안진의 감소에 효과가 적었던 반면, 오히려 전위의존성 칼슘채널Voltage-Sensitive Ca^{2+} Channels의 $\alpha 2-\delta$ 소단위체에 작용하는 가바펜틴은 유의한 안진 및 시력 개선 효과를 가짐이 알려졌다.[12,13] 가바펜틴에 반응하지 않는 일부 환자에서 메만틴이 치료효과를 보인다는 보고가 있으나, 메만틴은 용량에 따라 시야 흐림, 피로, 두통, 근위약, 보행 불안정 등의 부작용을 동반하여 가바펜틴에 비해 널리 사용되지 않는다.

② 안구-구개 진전oulopalatal tremor

안구-구개 진전은 연구개의 지속적 율동과 시계추안진을 특징으로 하는 현상으로, 뇌간을 침범하는 뇌졸중, 악성 및 양성 신생물, 탈수초성 병변, 외상 등이 안구-구개 진전의 주된 원인으로 알려져 있다. 안구-구개 진전은 치아핵dentate nucleus, 적색핵red nucleus, 하올리브핵inferior olivary nucleus로 이어지는 Guillain-Mollaret 삼각 내에 병변이 있을 때 신경접합부를 통한 소뇌심부핵deep cerebellar nuclei으로부터 올리브핵으로의 신경자극이 사라지면서 초래되는 올리브핵의 퇴행성 비후degenerative hypertrophy에 의한 현상으로 알려져 있으나, 아직 그 정확한 기전에 대해서는 논란이 남아있다.

안구-구개 진전 환자들에 가바펜틴과 메만틴이 안진의 감소에 효과적이라는 보고가 있다. 그러나 다발경화증에 동반된 후천성 시계추안진에 비해서는 약물에 의한 치료 반응률이 매우 낮은 것으로 알려져 있다. 또한, 두 약제 모두 구개의 진전에 대해서는 의미 있는 효과는 보이지 않는다.

(6) 영아안진증후군Infantile nystagmus syndrome

영아안진증후군 환자에서 가바펜틴과 메만틴이 안진 감소 및 시력 개선 효과를 보인다는 연구가 있으나, 시신경 이상 혹은 황반부 저형성 등 구심성 시각회로에 이상을 동반하는 환자의 경우 효과가 미미한 것으로 보고되고 있다. 영아안진증후군의 경우 눈떨림의 원인이 되는 망막 질환 등의 치료가 도움이 될 것으로 기대되고 있다. 일례로, 한 전임상 연구에 따르면 레버선천흑암시 동물모델에서 유전자 치료를 통해 안진의 감소와 시력 개선을 얻었다는 보고가 있다.

(7) 안구신경근긴장증ocular neuromyotonia

안구신경근긴장증은 자발적, 혹은 지속적인 편측 주시 후에 발생하는 일시적인 복시를 특징으로 하는 질환으로, 안장 옆 혹은 안장 부위에 방사선 조사 후에 발생하는 경우가 흔하고, 일부에서는 압박성 혹은 염증성 병변에 의해 발생하기도 한다(동영상 2-9, 그림 2-32). 카바마제핀carbamazepine이 매우 효과적임이 잘 알려져 있다. 그러나 카바마제핀은 혈청 내 전해질 불균형(저나트륨혈증 및 저칼슘혈증)을 일으킬 수 있음을 주지해야 한다.

동영상 2-9. 안구신경근긴장증

그림 2-32. 안구신경근긴장증 환자의 예

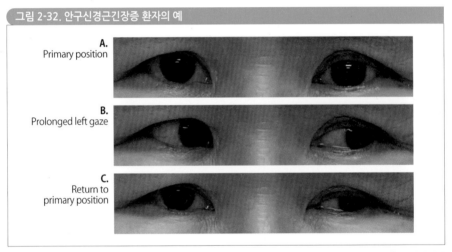

A.
Primary position

B.
Prolonged left gaze

C.
Return to
primary position

(A) 초기 검사 상 제 1 안위에서 정위이나, (B) 장시간 좌측 주시 시 좌안 외직근에 불수의적 수축이 발생하여 (C) 다시 정면 주시를 하면 외사시가 나타나는 것을 관찰할 수 있다.

(8) 상사근파동superior oblique myokymia

상사근파동은 단안 상사근의 갑작스런 율동성 수축으로 인해 발생하는 진동시 및 복시를 특징으로 하는 질환이다. 대부분의 상사근 파동 환자가 특별한 치료 없이 호전되는 것으로 알려져 있으나, 일부 환자에서는 지속적으로 증상을 호소하여 치료를 요하기도 한다. 카바마제핀carbamazepine, 바클로펜, 가바펜틴 등이 상사근 파동 억제 효과를 보인다는 증례보고들이 있다.

표 2-10. 안진의 종류별 약물요법

안진의 종류	약물요법
전정신경염(Vestibular neuronitis)	Methylprednisone, Meclizine, Promethazine, Diazepam, Lorazepam
메니에르병(Meniere's disease)	Betahistine, Diuretics, Intratympanic dexamethasone & gentamycin
하향안진(Downbeat nystagmus)	Clonazepam, Baclofen, Scopolamine, Amifampridine
상향안진(Upbeat nystagmus)	Baclofen, Amifampridine
주기교대안진(Periodic alternating nystagmus)	Baclofen, Memantine
시소안진(Seesaw nystagmus)	Gabapentin, Clonazepam
후천성 시계추안진(Acquired pendular nystagmus)	Gabapentin, Memantine
영아안진증후군(Infantile nystagmus syndrome)	Gabapentin, Memantine
안구신경근긴장증(Ocular neuromyotonia)	Carbamazepine
상사근파동(Superior oblique myokymia)	Carbamazepine, Baclofen, Gabapentin

2) 화학적 신경차단 치료(보툴리눔 독소 주사)

다양한 양상의 안진 환자에서 보툴리눔 독소를 외안근 내 주사 혹은 구후주사함으로써 안진의 감소 및 시력의 개선 효과를 얻을 수 있음이 알려져 있다.[14-17] 안검하수 및 복시를 초래할 수 있다는 점, 효과의 지속시간이 2−3개월에 불과하여 반복주사가 필요하다는 점 등이 주된 단점으로 꼽히며, 단안에 주사할 경우 반대안의 안진이 더 심해지는 경우도 보고되어 있다. 또한, 보툴리눔 독소 구후주사는 안구운동의 전반적인 마비를 일으키기 때문에 전정안반사vestibule-ocular reflex 감소를 초래하여 머리의 움직임에 따른 보상적 눈운동을 불가능하게 하여 시각적 불편을 초래할 수 있다.

3) 광학적 치료

현재 널리 받아들여지고 있는 안진의 광학적 치료로는 안경 및 콘택트렌즈를 이용한 굴절교정, 과교정 오목렌즈 처방과 프리즘 안경 등이 있다. 영아안진증후군에 동반된 구심성 시각회로 장애 및 이에 따른 저시력이 있는 경우, 망원경이나 확대경 등의 저시력 보조구 사용이 도움이 되기도 한다. 이외에도 안진 환자에서 망막에 맺히는 상을 안정화하기 위한 광학적 방법들이 시도되어 왔다. 한가지 예로, 높은 도수의 원시교정 안경과 함께 높은 도수의 근시교정 콘택트렌즈를 착용하는 방법이 시도되기도 하였다.[18] 또한, 최근에는 디지털 망막 이미지 안정화 기기digital retinal image stabilization를 이용한 치료법에 대한 연구가 진행되고 있다.[19,20]

(1) 굴절교정

① 안경을 이용한 굴절교정

안진의 비수술적 치료에 있어서 가장 첫 단계는 굴절이상의 교정이다. 영아안진증후군 및 후천성 안진 환자에서 굴절 이상의 정확한 교정은 시기능 향상의 가장 효과적인 방법이기 때문이다. 특히 영아안진증후군 환아에서는 고도 난시 등 굴절이상이 동반된 경우가 흔하기 때문에 면밀한 굴절검사가 필요하다.[21]

② 콘택트렌즈를 이용한 굴절교정

영아안진증후군 환자에서 안경 대신 콘택트렌즈를 착용할 경우 광학수차 감소, 망막 이미지 확대 및 주변시야 증가 등의 시각적 효과와, 접촉에 의한 안진의 물리적 감소 효과를 통해 더 나은 치료효과가 있을 것으로 기대되었다. 실제로 초기 임상연구들에 따르면 RGP (rigid gas permeable) 콘택트렌즈 착용은 안경 착용에 비해 안진의 진폭과 진동수를 감소시키고 교정시력을 증가시키는 효과가 더 뛰어난 것으로 보고되기도 하였다.[22,23] 하지만 최근의 무작위 배정 임상연구에 따르면, 영아안진증후군 환자에서 RGP 콘택트렌즈 착용이 안경 착용에 비해 최대교정시력과 읽기 능력에 있어서 유의한 개선효과를 가지지 못하여서 아직 그 효과가 불분명한 상태이다.[24]

(2) 과교정 오목렌즈

과교정 오목렌즈는 조절 눈모음을 자극하여 안진을 감쇄시키는 효과를 보임으로써 원거리 시력을 개선할 수 있는 것으로 알려져 있다.

(3) 프리즘

안진 환자에서 프리즘은 시력의 개선 및 이상두위의 개선을 위해 이용된다.

① 이향운동 프리즘vergence prism

눈모음convergence에 의해 안진이 감소하는 환자들에서는 기저 외방base out 프리즘을 이용하여 융합 눈모음fusional convergence을 자극함으로써 안진 감쇄 효과를 얻을 수 있으며, 이차적으로 시력의 개선도 이룰 수 있다. 이 경우 조절과 눈모음간의 불균형accommodation-convergence disparity이 초래될 수 있어서 기저 외방 프리즘에 오목렌즈를 추가하여 처방하기도 한다. 기저 외방 프리즘에 반응하여 안진이 감소하는 환자의 경우 추후 양안 내직근 후전술에 의해 안진이 감소할 가능성이 높아서 수술을 결정하기 전에 수술 반응을 예측할 목적으로도 시도해볼 수 있다. 다만, 융합기능이 저하된 환자에서는 기저 외방 프리즘을 이용한 적절한 융합 눈모음 유도가 이루어지지 않는 경우가 있음을 주지해야 한다. 또한, 이와 같은 치료의 장기적인 효과에 대한 연구는 매우 적으며, 프리즘 안경 착용에 의한 불편감이 프리즘 안경으로 인한 이득보다 더 클 수 있음에 유의해야 한다.

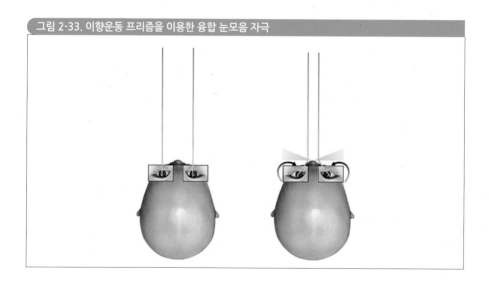

그림 2-33. 이향운동 프리즘을 이용한 융합 눈모음 자극

② 동향운동 프리즘version prism

동향운동 프리즘은 1) 정지구역null zone의 존재와 이로 인한 이상두위가 있는 환자, 2) 내전 정지구역adduction null zone을 동반하는 융합발육불량 안진 증후군fusional maldevelopment nystagmus syndrome 환자에서 안진에 의한 이상두위의 개선 목적으로 사용될 수 있다. 다만, 정지구역을 이동시키기 위해 필요한 프리즘 각도가 큰 경우가 많기 때문에 임상에서 널리 이용되지는 못한다. 안진 환자에서 유의미한 이상두위를 바로잡기 위해서는 대개 프레넬 프리즘Fresnel type press-on prism이 필요하다. 고굴절률 프리즘 안경의 광학적인 약점을 고려하였을 때 외안근 수술을 선호하게 되는 경우가 많다.

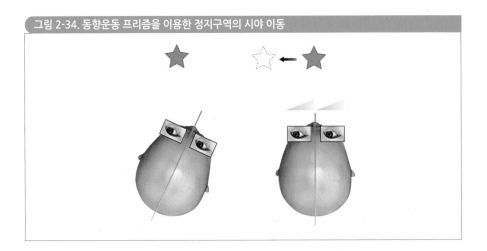

그림 2-34. 동향운동 프리즘을 이용한 정지구역의 시야 이동

③ 안진의 수술적 치료

현성 안진에 대한 수술적 치료 목표는 1) 정지구역의 이동을 통한 이상두위의 개선 및 2) 안진의 진폭 감소이다. 이전 현성–잠복안진manifest-latent nystagmus으로 불렸던 융합발육불량 안진 증후군의 경우 일반적으로 수술적 치료의 적응증이 되지 않으나 일부 현성–잠복안진 환자의 경우 사시 수술 후 잠복안진으로 바뀌는 경우가 있어서 수술적 치료가 시도되기도 한다.

1) 정지구역의 이동

정지구역을 수술적으로 이동시킬 때 기억해야 할 원칙은 항상 눈을 이상두위의 방향과 같은 방향으로 이동시켜야 한다는 점이다. 예를 들어 고개를 우측으로 돌리고 있는 환자의 경우 이상두위를 해결하기 위해서는 양안을 우측으로 이동시키는 방식의 수술이 시행되어야 한다. 정지구역이 존재하여 이상두위를 취하는 안진 환자에서 보통 15도 이내의 고개기울임 혹은 고개돌림은 미용적, 기능적으로 큰 문제를 일으키지 않으나, 이보다 큰 각도의 이상두위에서는 수술적 치료를 고려하여야 한다. 정지구역을 이동시키는 수술을 결정하기에 앞서 정지구역의 위치와 고개돌림의 방향이 늘 일정한지 반복하여 확인하는 것이 중요하다. 예를 들어 주기교대안진과 같이 정지구역의 위치가 바뀌는 환자의 경우는 정지구역을 이동시키는 방식의 수술은 도움이 되지 않는다.

(1) 고개돌림 face turn

고개돌림은 안진에 의한 보상적 이상두위 중 가장 흔하게 나타나는 형태이다(동영상 2-10). 정지구역을 제1안위로 이동시키려는 여러가지 수술방법이 소개된 바 있다. 최초의 시도는 Kesternbaum이 영아안진증후군 환자를 대상으로 4개의 수평직근을 수술하여 고개돌림을 교정하고자 한 것이었다.[25] Kestenbaum은 4개의 수평직근을 5 mm씩 후전 및 절제하는 방식을 소개하였고, 이후 이를 바탕으로 수정된 다양한 수술방법들이 고안되었다. Parks 등은 각 눈당 총 13 mm의 후전 및 절제를 하는 고전적인 최대수술량 공식을 발표하였다. 이는 5-6-7-8 법칙으로 흔히 불리며 이 방식으로도 저교정되는 경우가 많아서, 이후에 여러가지 증량수술 방식이 소개되었다.[26,27] 고개돌림이 30도에 이르는 경우 40% 증량, 45도를 넘는 경우 60% 증량하는 것이 제안되었으며, Pratt-Johnson은 4개의 수평직근을 10 mm씩 후전 및 절제함으로써 좋은 결과를 얻었다는 보고를 하였다.[28] 그러나 초기에 좋은 수술결과를 보였던 환자들 중 일부에서는 수술 후 시간이 지남에 따라 수술 효과가 줄어들어 다시 고개돌림이 나타나는 경우가 있다. 사시가 동반된 환자에서는 수술량을 조절함으로써 사시와 고개돌림의 교정을 동시에 시도할 수 있으며, 경우에 따라 2개 혹은 3개의 수평직근만을 이용함으로써 외안근을 보존하는 방식이 채택되기도 한다. 이렇게 외안근을 보존해 둘 경우 추후 2차적인 수술이 필요할 때에 더 많은 선택지를 가질 수 있다.

동영상 2-10. Anderson-Kestenbaum operation

표 2-11. 우측 고개돌림을 교정하기 위한 수술량(Kestenbaum 술식)					
	고개돌림(도)	우안(mm)		좌안(mm)	
		내직근 후전	외직근 절단	내직근 절단	외직근 후전
Parks	<20	5	8	6	7
20% 증량	30	6	9.5	7	8.5
40% 증량	45	7	11	8.5	10
60% 증량	50	8	12.5	9.5	11

단안의 약시가 있는 경우 주시안을 이용하여 고개돌림을 교정하고 필요에 따라 비주시안에 수술을 추가하여 시행한다. 사시와 고개돌림을 동시에 교정할 때에는 주시안을 정지구역으로 이동시키고 남는 사시를 비주시안의 수술량을 조절하여 교정해야 한다. 영유아기에 발생한 단안 시기능 소실 및 이에 동반된 융합발육불량 안진증후군으로 주시안 방향으로 보상적 고개돌림을 하는 환자의 경우 내전된 주시안을 제1안위로 교정하는 수술로 좋은 결과를 얻을 수 있다. 이 경우 비주시안에 대한 수술은 아무런 효과를 보이지 않는다.

(2) 턱 들기 혹은 턱 당김 chin elevation or depression

안진에 의한 수직 이상두위는 비교적 드문 편이다. 이 경우에도 고개돌림과 마찬가지로 눈을 이상두위의 방향과 같은 방향으로 이동시켜야 한다는 원칙에 따라 수술을 시행한다. Parks[29]는 25도의 턱 들기를 교정하기 위해 양안 상직근의 4 mm 절단 및 양안 하직근의 4 mm 후전을 제시하였으나, 저교정을 경험하는 경우가 많아서 이보다 증량 수술을 시행하는 경우가 많다.

표 2-12. 턱 들기 이상두위 교정을 위한 수술량

턱 들기(도)	하직근 후전(mm)	상직근 절단(mm)
20	5	7
30	6	8
>30	6 이상	10 이상

(3) 고개기울임head tilt

고개기울임을 유발하는 안진은 대부분 진폭이 매우 작아서 검사자가 알아채기 어려운 경우가 있으므로 면밀한 관찰이 필요하다. 회선수직근의 마비가 없으면서, 수동적으로 고개기울임을 교정한 자세에서 측정한 시력이 이상두위에서 측정한 시력에 비해 낮은 경우 의심이 필요하다. 안진에 의한 고개기울임이 있는 경우 고개기울임의 반대방향으로 눈을 사상축sagittal axis을 중심으로 회전시키는 수술을 시행하여야 한다.

눈의 사상축 중심 회전을 위해서 수평직근의 수직전위 혹은 수직직근의 수평전위를 통해 회선을 교정하는 방식 등이 이용되고 있다. 예를 들어 좌측으로 고개기울임을 하는 환자의 경우 좌안은 외회선, 우안은 내회선시켜야 고개기울임을 바로잡을 수 있다.

그림 2-35. 수직직근의 전위를 통한 고개기울임의 교정

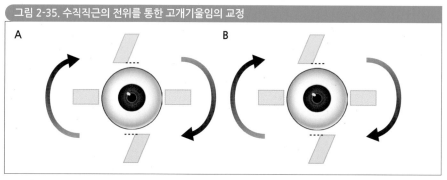

좌측 고개기울임이 있는 환자의 이상두위 교정을 위하여 (A) 우안 상직근의 이측 전위, 우안 하직근의 비측 전위를 통하여 우안을 내회선시키고, (B) 좌안 상직근의 비측 전위, 좌안 하직근의 이측전위를 통하여 좌안을 내회선시킨다.

2) 안진억제증후군nystagmus blockage syndrome

안진억제증후군에서 지속적인 내사시를 보일 때 수술의 적응증이 된다. 양안 내직근 후전술이 흔히 시행되며, 후고정술posterior fixation suture을 함께 시행하기도 한다. 그러나 일반적인 영아 내사시에 비하여 수술 후 과교정 혹은 저교정이 더 흔함에 유의해야 한다.

3) 안진의 진폭 감소

(1) 인위적인 눈벌림

눈모음을 자극하여 안진의 진폭을 줄이기 위하여 수술을 통해 인위적으로 눈벌림을 유발하는 시술이 일부에서 시행되고 있다. 이 시술을 위해서는 먼저 인위적인 눈벌림을 유발하는 기저내방base-in 프리즘 안경을 처방하여 외편위가 융합눈모음에 의해 극복되는지, 융합눈모음이 안진의 진폭을 줄이고, 이차적으로 시력을 개선시키는 효과가 있는지 확인하는 과정이 필요하다. 다만 이러한 수술은 정상적인 이향운동 기능, 정상적인 양안 융합 및 양안시 기능을 가진 환자에서만 시행되어야 한다. 그렇지 않을 경우 속발 외사시 및 복시가 초래될 것이기 때문이다.

(2) 수평직근의 최대후전술

수평직근의 기능을 약화시켜 수평 안진을 억제하기 위한 방법으로, 모든 수평직근에 대하여 안구 적도부 뒤쪽에서 후고정술을 시행하는 술식이 시도되었으나 그 결과는 만족스럽지 않았다. 이보다는 모든 수평직근을 안구 적도부 근처까지 최대후전(10-12 mm)하는 방식이 더 효과적임이 보고된 바 있다(동영상 2-11). 과거에는 수평직근의 과도한 후전이 안구운동의 제한을 초래할 수 있다는 우려가 있었으나, 실제로 유의미한 안구운동 제한이 발생하지는 않는 것으로 알려져 있다. 수술량의 결정에 있어서 초기에는 외직근과 내직근의 수술량을 동일하게 시행하였으나 이 경우 속발 외사시가 발생할 수 있음이 보고되어서, 최근에는 내직근의 후전량을 외직근의 후전량에 비해 2 mm 줄여서 시행하는 경우가 많다.

동영상 2-11. large horizontal muscle recession

(3) 힘줄 절단 및 재부착술

Dell'Osso는 외안근의 힘줄 절단 후 재부착할 경우 안진의 진폭을 줄인다고 보고
하였다.[30] 힘줄 절단 및 재부착술에 의한 안진 개선 기전은 외안근 힘줄 절단에
의한 근부착부위 고유수용체의 기능 억제가 꼽힌다. 그러나 선천 눈떨림 원숭이
모델 실험에서 오히려 안진의 속도와 강도가 더 증가함을 보고한 연구도 있어서
힘줄 절단 및 재부착술의 안진 개선 효과에 대해서는 아직 논란이 남아있다.[31]

【참고문헌】

1. Sheth NV, Dell'Osso LF, Leigh RJ, Van Doren CL, Peckham HP. The effects of afferent stimulation on congenital nystagmus foveation periods. Vision Res 1995;35:2371-82.

2. Leigh RJ, Dell'Osso LF, Yaniglos SS, Thurston SE. Oscillopsia, retinal image stabilization and congenital nystagmus. Invest Ophthalmol Vis Sci 1988;29: 279-82.

3. Abadi RV, Whittle JP, Worfolk R. Oscillopsia and tolerance to retinal image movement in congenital nystagmus. Invest Ophthalmol Vis Sci 1999;40:339-45.

4. Oosterveld WJ. Effect of betahistine dihydrochloride on induced vestibular nystagmus: a double blind study. Clin Otolaryngol Allied Sci 1987;12:131-5.

5. Young YH, Huang TW. Role of clonazepam in the treatment of idiopathic downbeat nystagmus. Laryngoscope 2001;111:1490-3.

6. Averbuch-Heller L, Tusa RJ, Fuhry L, et al. A double-blind controlled study of gabapentin and baclofen as treatment for acquired nystagmus. Ann Neurol 1997;41:818-25.

7. Strupp M, Schüler O, Krafczyk S, et al. Treatment of downbeat nystagmus with 3,4-diaminopyridine: a placebo-controlled study. Neurology 2003;61: 165-70.

8. Sprenger A, Rambold H, Sander T, et al. Treatment of the gravity dependence of downbeat nystagmus with 3,4-diaminopyridine. Neurology 2006; 67:905-7.

9. Halmagyi GM, Rudge P, Gresty MA, Leigh RJ, Zee DS. Treatment of periodic alternating nystagmus. Ann Neurol 1980;8:609-11.

10. Kumar A, Thomas S, McLean R, et al. Treatment of acquired periodic alternating nystagmus with memantine: a case report. Clin Neuropharmacol 2009;32:109-10.

11. Cochin JP, Hannequin D, Do Marcolino C, Didier T, Augustin P. [Intermittent sea-saw

nystagmus successfully treated with clonazepam]. Rev Neurol (Paris) 1995;151:60-2.

12. Bauer CS, Nieto-Rostro M, Rahman W, et al. The increased trafficking of the calcium channel subunit alpha2delta-1 to presynaptic terminals in neuropathic pain is inhibited by the alpha2delta ligand pregabalin. J Neurosci 2009;29:4076-88.

13. Nerrant E, Abouaf L, Pollet-Villard F, et al. Gabapentin and Memantine for Treatment of Acquired Pendular Nystagmus: Effects on Visual Outcomes. J Neuroophthalmol 2020;40:198-206.

14. Menon GJ, Thaller VT. Therapeutic external ophthalmoplegia with bilateral retrobulbar botulinum toxin- an effective treatment for acquired nystagmus with oscillopsia. Eye (Lond) 2002;16:804-6.

15. Lennerstrand G, Nordbø OA, Tian S, Eriksson-Derouet B, Ali T. Treatment of strabismus and nystagmus with botulinum toxin type A. An evaluation of effects and complications. Acta Ophthalmol Scand 1998;76:27.

16. Ruben ST, Lee JP, O'Neil D, Dunlop I, Elston JS. The use of botulinum toxin for treatment of acquired nystagmus and oscillopsia. Ophthalmology 1994; 101:783-7.

17. Helveston EM, Pogrebniak AE. Treatment of acquired nystagmus with botulinum A toxin. Am J Ophthalmol 1988;106:584-6.

18. Rushton D, Cox N. A new optical treatment for oscillopsia. J Neurol Neurosurg Psychiatry 1987;50:411-5.

19. Polzer S, Miesenberger K. Assisting people with Nystagmus through image stabilization: Using an ARX model to overcome processing delays. Annu Int Conf IEEE Eng Med Biol Soc 2017;2017:1222-5.

20. Smith RM, Oommen BS, Stahl JS. Image-shifting optics for a nystagmus treatment device. J Rehabil Res Dev 2004;41:325-36.

21. Hertle RW. Examination and refractive management of patients with nystagmus. Surv Ophthalmol 2000;45:215-22.

22. Allen ED, Davies PD. Role of contact lenses in the management of congenital nystagmus. Br J Ophthalmol 1983;67:834-6.

23. Golubović S, Marjanović S, Cvetković D, Manić S. The application of hard contact lenses in patients with congenital nystagmus. Fortschr Ophthalmol 1989;86:535-9.

24. Jayaramachandran P, Proudlock FA, Odedra N, Gottlob I, McLean RJ. A randomized controlled trial comparing soft contact lens and rigid gas-permeable lens wearing in infantile nystagmus. Ophthalmology 2014;121:1827-36.

25. Kestenbaum A. [New operation for nystagmus]. Bull Soc Ophtalmol Fr 1953;6:599-602.

26. Calhoun JH, Harley RD. Surgery for abnormal head position in congenital nystagmus. Trans Am Ophthalmol Soc 1973;71:70-83; discussion 84-77.

27. Nelson LB, Ervin-Mulvey LD, Calhoun JH, Harley RD, Keisler MS. Surgical management for abnormal head position in nystagmus: the augmented modified Kestenbaum procedure. Br J Ophthalmol 1984;68:796-800.

28. Pratt-Johnson JA. Results of surgery to modify the null-zone position in congenital nystagmus. Can J Ophthalmol 1991;26:219-23.

29. Parks MM. Symposium: nystagmus. Congenital nystagmus surgery. Am Orthopt J 1973;23:35-9.

30. Dell'Osso LF, Hertle RW, Williams RW, Jacobs JB. A new surgery for congenital nystagmus: effects of tenotomy on an achiasmatic canine and the role of extraocular proprioception. J AAPOS 1999;3:166-82.

31. Wong AM, Tychsen L. Effects of extraocular muscle tenotomy on congenital nystagmus in macaque monkeys. J AAPOS 2002;6:100-7.

03

영유아기에 발생하는
다른 형태의 안진

안진억제증후군

한진우

①. 서론

안진억제증후군nystagmus blockage syndrome은 영아기에 발생하는 안진을 동반한 내사시로, 가성외향신경마비, 주시안 쪽으로의 고개돌림, 주시안이 내전되어 있을 때 안진이 줄어드는 증후군을 말한다.[1] 주시안이 정위에 위치하거나 외전하게 되면 격동안진jerky nystagmus이 나타나는 것이 특징이며, 진단은 내사시가 있을 때 안진이 현저히 억제될 때 진단할 수 있다. 하지만 진단기준이 확립되어 있지 않고, 융합발육불량안진증후군fusional maldevelopment nystagmus과 동반되어 나타나는 내사시가 임상적으로 더 흔하게 볼 수 있으며, 진단 자체가 안구운동의 기록eye movement recording에 의해서 이루어지는 경우보다 임상적인 관찰에 의해 이루어지는 경우가 많아 진단이 어렵다. 따라서, 영아내사시환자가 융합발육불량안진증후군이 동반되어 나타난 경우가 안진억제증후군으로 오진된 것은 아닌지 다시 한번 주의를 기울일 필요가 있다.[2]

안진억제증후군 환자는 먼 곳을 주시할 때 본인의 의지대로 내사시를 유발시킨다. 따라서 환자는 눈모음을 유발시켜 안진을 억제하며, 주시안쪽으로 고개를 돌려 사물을 보게 된다. 안진의 진폭이 줄어들거나, 근거리 주시시에는 안진이 줄어들지 않으나, 내사시에 의해 안진의 진폭이 작은 융합발육불량안진증후군low-amplitude fusional maldevelopment nystagmus 형태로 변하게 되는 경우도 있다.[3]

von Noorden 등은 247명의 영아안진증후군 환자 중에 12명이 안진억제증후군이 었다고 보고하여 영아안진증후군 환자의 약 5% 정도에서 안진억제증후군이 동반될 수 있다고 알려져 있다.[4]

2. 감별진단

위에서 언급했듯이 다양한 내사시에서 나타나는 융합발육불량안진증후군과 감별이 필요하며 경우에 따라 임상적으로 감별이 어려운 경우가 많다. 따라서, 안진계를 통하여 진단을 하는 것이 중요한데 임상적으로도 몇 가지 감별 포인트가 있다(표 3-1). 안진억제증후군 환자는 주로 양안이 모두 내전된 형태를 보이며 주시 안쪽으로 고개를 돌리는데 사시의 각도가 측정시마다 매우 다양할 수 있다. 시안시아증후군Ciancia syndrome은 영아내사시에서 교차주시crossed fixation를 보이는 증후군으로 환아는 내전된 우측 눈으로 좌측 시야를, 내전된 좌측 눈으로 우측 시야를 보게 된다. 이 시안시아증후군에서는 눈떨림은 잘 관찰되지 않으며, 양안이 모

표 3-1. 안진억제증후군과 내사시와 동반되는 융합발육불량안진증후군의 감별점

	안진억제증후군	내사시와 동반되는 융합발육불량안진증후군
사시각도	보고자 하는 노력에 비례하여 내사시의 정도가 심해지며, 내원할 때마다 사시각이 일정하지 않음 사시 수술 후에도 사시각이 다양하게 측정됨 프리즘을 이용하여 사시를 정위로 해놓을 때 내사시각이 증가함	비교적 일정
눈떨림	내사시각이 증가하면 눈떨림이 감소하고 내사시각이 감소하면 눈떨림이 심해짐	한눈을 가렸을 때 눈떨림이 심해짐
동공	내사시가 된 상태에서 동공축소가 보임	동공축소가 나타나지 않음
시력	근거리 시력이 원거리 시력보다 좋음	약시가 없다면 각 눈의 시력이 정상범위인 경우가 많음
전신마취 후 의 안구 상태	정위	내사시를 보이나 각도가 줄어드는 경우도 있음

두 내전되는 현상도 대개는 보이지 않고 환자가 진성교차주시를 보일 경우 약시가 발생하지 않는 것이 안진억제증후군과의 감별점이다. 양안 외향신경마비와도 감별을 해야 한다. 인형머리검사법doll's eye maneuver과 단안운동duction, 양안운동version 검사를 철저히 하여 양안 외향신경마비가 아닌지 확인한다.

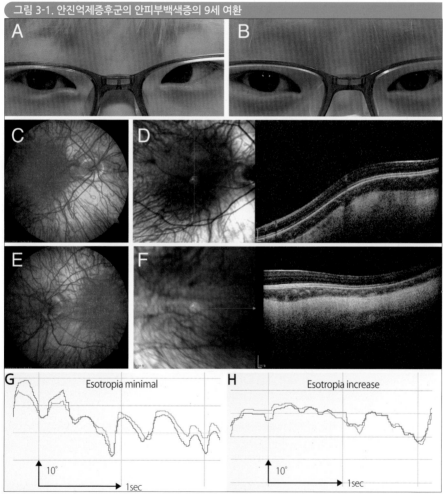

그림 3-1. 안진억제증후군의 안피부백색증의 9세 여환

프리즘교대가림검사에서 약 15-30 프리즘디옵터의 다양한 내사시 각도를 보였으며, 3Hz 우측 격동안진이 관찰됨. (A) 내원 시마다 15-30프리즘디옵터의 다양한 사시각도를 보임. (B) 양안내직근후전술과 후고정봉합술 후 프리즘 교대가림검사에서 약 16프리즘디옵터의 외사시의 다양한 각도가 보임. (C, D) 안저검사에서 황반중심오목이 관찰되지 않으며 색소가 부족함. (E, F) 빛간섭단층촬영에서 grade 4 망막중심오목형성부전을 보임. (G, H) 내사시가 크지 않을때 안진이 심해지며, 내사시 각도가 클 때 안진이 감소함.

③ 치료

안진억제증후군 환자는 내사시를 유발하여 안진을 억제하는 의도적인 행동을 하
므로 양안내직근 후전술 및 후고정봉합술faden operation로 내사시를 교정한다(그림
3-1). 하지만 영아내사시보다 저교정 혹은 과교정이 흔하게 일어나며, 이러한 예
상치 못한 결과 또한 안진억제증후군과 다른 내사시에서 나타나는 융합발육불량
안진증후군과 구분하는 중요한 단서가 될 수 있다.[5] von Noorden 등은 46명의 안
진억제증후군 환자에서 수술 후 한 명에서도 양안시를 얻지 못했으며, 26%의 환
자에서 정상바로 아래 범위의 양안시를 얻었다고 보고하였다.[5] 46명의 환자 중
5명에서는 이상두위가 새로 발생하였다고 보고 결과가 있으며 이처럼 안진억제
증후군 환자에서 양안내직근 후전술 혹은 양안내직근 후전술과 함께 후고정봉합
술을 시행하는데 결과가 예측 불가능하며 일반적인 사시보다 예후가 좋지 않음
을 환자와 보호자에게 충분히 설명하는 것이 필요할 것이다.[6]

| 참고문헌 |

1. Group CW. A National Eye Institute sponsored workshop and publication on the classification of eye movement abnormalities and strabismus (CEMAS). The National Eye Institute Publications. 2001:1-75.

2. Von Noorden G, Campos E. Binocular vision and ocular motility. 2002. St Louis: Mosby Inc.505-6.

3. Dell'Osso LF, Ellenberger C, Jr., Abel LA, Flynn JT. The nystagmus blockage syndrome. Congenital nystagmus, manifest latent nystagmus, or both? Invest Ophthalmol Vis Sci. 1983;24(12):1580-7.

4. von Noorden GK. The nystagmus blockage syndrome. Trans Am Ophthalmol Soc. 1976;74:220-36.

5. von Noorden GK, Wong SY. Surgical results in nystagmus blockage syndrome. Ophthalmology. 1986;93(8):1028-31.

6. von Noorden GK. Inidcations of the posterior fixation operation in strabismus. Ophthalmology. 1978;85(5):512-20.

잠복안진

김응수

① 서론

잠복안진latent nystagmus (fusion maldevelopment nystagmus syndrome)은 병적안진의 흔한 아형으로 간략하게는 한 눈을 가렸을 때 나타나는 안진이다. 하지만 가림안진 occlusion nystagmus이라고 하지 않는 이유는 가리지 않고 두 눈을 뜬 상태에서 한 눈만 주시하는 경우에도 안진이 나타나므로, 단순하게 한 눈을 가렸을 때 눈이 떨리는 현상이라고 단정지어 말할 수 없기 때문이다. 따라서 두 눈을 뜨고 있는 경우에 잠복안진의 형태가 발생하는 경우를 현성−잠복안진manifest-latent nystagmus으로 명명한다. CEMAS (Classification of Eye Movement Abnormalities and Strabismus, 42페이지 표 참조)의 용어집에서는 잠복안진을 융합발육불량안진증후군으로 명명하고 있어 현상보다는 원인에 따른 병명을 사용하고 있다.[1]

역사적으로 잠복안진은 1872년 Faucon에 의해 처음 기술되었으나 잠복안진이라는 이름은 1912년 Fromaget이 처음 사용하였다. Fromaget은 두 눈을 뜨고 있을 때는 안진이 없다가 한 눈을 가리거나 극단의 눈위치에서 안진이 발생하는 경우를 기술하였다.[2] 이후 Kestenbaum에 의해서 현성−잠복안진이 소개되었으며 두 눈을 뜨고 있는 상태에서 사시가 있는 경우 발생한다고 하였다.

② 잠복안진의 원인

잠복안진의 원인에 대한 가설은 매우 다양하다. 첫번째로 양안시가 형성되지 않으면 시피질의 움직임처리motion processing 과정에 손상이 발생하여 잠복안진이 발생한다. 두번째로는 양안 코쪽망막의 자극이 강하므로 귀쪽망막보다 코쪽망막을 주시선호하기 때문에 잠복안진이 발생한다는 가설이다. 또한 원시적인 전정기능의 불균형primitive vestibular tone imbalance, 불량한 자기중심적위치poor egocentric localization, 피질하 시운동체계의 이상subcortical optokinetic system anomaly, 피질하 망막미끄러짐 조절의 발육불량subcortical maldevelopment of retinal slip control, 코쪽절반망막우세의 발생학적 지속phylogenic persistence of the dominance of the nasal half of the retina 등이 거론되고 있다. 하지만 한 눈의 시기능이 떨어지거나 사시가 발생한다고 해서 모든 경우 잠복안진이 발생하는 것은 아니므로 다양한 원인이 복합적으로 작용하여 발생하는 것으로 생각된다.

1) 불량한 자기중심적 위치poor egocentric localization

자기중심적위치egocentric localization는 물체와 눈이 일직선에 위치한다는 개념이다. 외눈박이cylcopes의 경우 물체와 눈이 이루는 각은 0°가 되고 자기중심적위치는 0°로 표시한다. 하지만 인간은 두 개의 눈을 가지고 있기 때문에 외눈박이와 같이 자기중심적위치가 0°가 아니고, 머리의 중심에서 각각 외측으로 치우쳐진 상태로 존재한다. 두 눈을 융합하여 양안시를 만들기 위해서는 자연스럽게 눈이 코쪽으로 움직이는 눈모음운동이 일어난다. 하지만 한 눈으로 주시하는 경우 자기중심적위치가 보지 못하는 눈쪽으로 편위되어, 주시하는 눈이 가린 눈쪽으로 미끄러지는 양상을 보이게 된다.[3] 예를 들어 팔을 펴서 자신의 코 앞에 손가락을 세운다. 코의 정중앙에 물체가 있다면 두 눈이 눈모음에 의해 융합이 되고 자연스럽게 물체가 자신의 바로 정면에 있다고 느끼게 된다. 하지만 왼눈을 감게 되면 물체는 정면이 아닌 왼쪽으로 치우쳐 있다고 느끼게 되므로 오른눈이 왼쪽으로 미끌어져 이동하게 된다. 이러한 자기중심적위치의 혼돈으로 인해 잠복안진이 발생한다고 보았다.[4]

2) 시피질의 양안시 손상에 의한 불균형

일차적으로 시피질의 이상이 있거나, 사시로 인해 양안시가 형성되지 못한 경우에 잠복안진이 발생할 수 있다. 출생 직후의 신생아는 양안시 기능이 존재하지 않으며, 입체시는 출생 후 약 3–5개월에 급격하게 발달하여 성인의 수준에 이른다.[5] 시피질인 V1의 수평축삭연결horizontal axonal connection은 융합발달을 담당하는 중추적인 역할을 한다. 유인원에서의 입체시는 양쪽 V1 안구우위칼럼ocular dominance column의 연결로부터 시작된다. 발달 초기에는 이 연결이 매우 미성숙한 상태로 존재하며, 이후 가측선조피질의 입력geniculostriate input이 두 눈에 동일한 자극이 동시에 가해져야 양안시를 위한 안구우위칼럼간의 연결이 성숙해진다(그림 3-2). 하지만 이 입력이 두 눈에서 반응차를 보일 때 상응하는 양안시가 이루어지지 않고 V1의 수평연결이 발달하지 못한다.[6] 잠복안진에서는 이러한 V1의 수평연결의 결핍이 관찰된다.[7]

그림 3-2. 양안시의 해부학적 기본 모형도

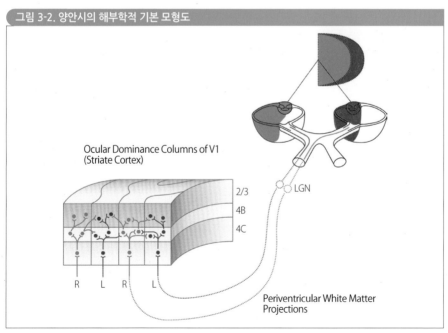

눈의 귀쪽 자극은 왼쪽 후두엽으로 신호가 전달되어 V1의 안구우위칼럼으로 전달되고 오른눈의 코쪽 자극도 왼쪽 후두엽 V1의 왼쪽 안구우위칼럼으로 전달된다. 이후 양안시는 이 두 칼럼의 4B와 2/3 영역에서 수평연결이 이루어져 정보를 교환함으로써 이루어진다(LGN; lateral geniculate nucleus).

하지만 내측두medial temporal, MT와 내상측두medial superior temporal, MST가 잘 발달된 상태에서는 V1이 손상된 경우라 할지라도 잠복안진이 나타나지 않으므로 잠복안 진을 일으키는 주된 영역은 MT/MST로 생각된다.[8]

3) 시피질로부터 망막영상의 미끄러짐을 담당하는 뇌간의 발육이상

양안시가 저하되면 시피질에서 망막에 맺히는 영상의 미끄러짐을 조절하는 뇌간 으로의 전달체계에 발달장애를 일으킨다. 시각을 담당하는 구역은 V1뿐 아니라 V2, 내측두, 내상측두가 관여한다.

그림 3-3. 정상과 사시를 가진 눈에서의 신경망네트워크

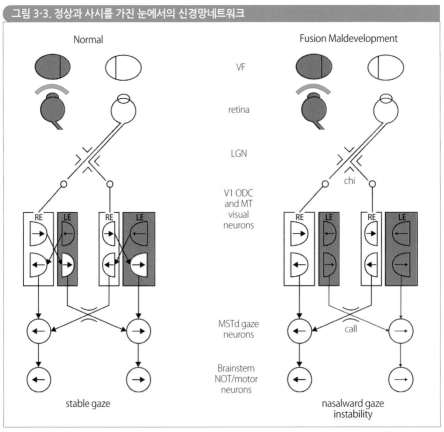

정상안에서는 상호 작용으로 인해 균형 있게 안구운동이 유지되는 반면 융합이 정상적으로 형성되지 않은 경 우에는 코쪽방향으로의 안구운동 신호가 커지게 되므로 비대칭 추종/시운동안진과 잠복안신이 발생한다(VF; visual field, LGN; lateral geniculate nucleus, ODC; ocular dominance column, MT; medial temporal, MST; medial superior temporal, NOT; nucleus of optic tract).

내측두는 동측주시ipsiversive gaze에 관여하며 뇌간의 시각로핵nucleus of the optic tract, NOT, 내측전정신경핵medial vestibular nucleus, 외향신경핵과 동안신경핵과 같은 안구 운동을 담당하는 핵으로 신호를 전달한다. 이 경로가 손상 받으면 수평운동에 균형이 깨지게 된다.[9] 이 불균형이 잠복안진을 일으킨다(그림 3-3). 원숭이 실험에서 정상적인 경우 시각로핵은 동측의 눈으로부터 자극을 받아 들이는데, 잠복안진을 유발한 경우에서는 반대측눈의 자극을 받아 반응하는 양상을 보인다.[10] 예를 들어 우안으로만 보는 경우에 왼쪽 시각로핵이 상대적으로 강하게 활동하여 눈을 왼쪽 방향으로 미끄러지게 만드는 잠복안진이 나타난다.

4) 추종운동과 시운동체계의 불균형

추종과 시운동체계의 불균형이 주시안의 코쪽망막선호 현상에 의해 비정상적인 안구운동이 발달하게 된다.

5) 근육이상설

코쪽방향으로 눈이 미끄러지는 이유는 내직근의 과흥분이라는 주장이 있다. 하지만 과학적 근거가 다소 부족하나 영아내사시에서 잠복안진이 특징적인 소견이라는 것을 고려하면 추가적인 연구가 필요하다.[2]

6) 코쪽방향선호현상이 나타나는 이유

코쪽방향선호현상nasalward preference은 시피질인 V1에서 내측두의 코쪽방향으로 과도한 자극 발현에 의해서 나타난다. 이 과도한 발현은 대체적으로 귀쪽방향으로 자극이 억제되어 나타나는 것으로 생각된다.[11]

발생초기에는 코귀비대칭nasotemporal asymmetry이 존재하며 코쪽방향선호현상은 코쪽으로 움직이는 물체에 반응이 더 좋다는 점에서 확인되었다. 이러한 현상은 양안시와 감각융합이 발달하기 이전에 존재하다가 이후 점점 사라진다.[2] 하지만 양안시가 성숙하지 않으면 코쪽방향선호현상은 유지되어 잠복안진에서 주시하는 눈이 코쪽으로 미끄러지는 이유를 뒷받침해 준다.

③ 잠복안진의 원인질환

양안시를 성숙하지 못하게 하는 사시, 약시를 포함하여 다양한 원인들이 잠복안
진을 일으킨다. 가장 흔한 원인으로 양안시를 떨어뜨리는 사시를 들 수 있으며 영
아내사시는 잠복안진의 흔한 원인이다. 하지만 사시 이외에도 심한굴절부등, 신
생아시기의 안구매체혼탁(유리체출혈, 선천백내장 등)이 단안에 있거나 양안에
심한 경우에도 발생한다. 유의할 것은 반드시 시력저하가 필요한 것은 아니다. 예
를 들어 영아내사시에서 교대주시로 인해 시력이 좋은 경우에도 잠복안진은 발생
할 수 있다. 발달시기에 두 눈의 비대칭이 3개월 이상 지속되면 잠복안진의 발생
률은 100%에 이른다.[12]

동영상 3-1. 잠복안진

④ 잠복안진의 임상양상

1) 파형

잠복안진은 코쪽으로 느린 미끄러짐이 있고 주시안쪽으로 빠른운동을 보이는 특
징이 있다(그림 3-4, 동영상 3-1). 한 눈에서 다른 눈으로 가림을 바꾸는 경우 즉각적
인 파형의 변화가 나타난다. 영아안진증후군과 동일하게 잠복안진도 대부분 선천
적인 경우이다. 한 눈을 가리거나 한 눈의 상이 흐려지거나 밝기가 감소할 때, 또
는 한 눈으로만 주시할 경우, 주시하는 눈으로 빠른운동이 나타나고 돌아오는 느
린운동은 감속형을 보이는 것이 특징이다. 감속형저속기는 영아안진증후군이나
다른 안진에서는 거의 관찰되지 않는다.

잠복안진의 파형은 빛의 강도에 따라서도 달라지며, 시력이 좋지 않은 눈으로 보

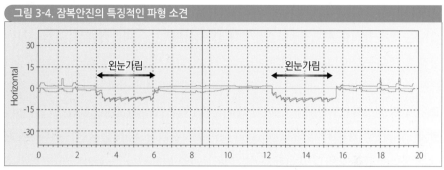

그림 3-4. 잠복안진의 특징적인 파형 소견

주시하는 눈 방향으로 빠른 움직임이 보이고 가리지 않은 눈, 즉 코쪽방향으로 감속형저속기가 관찰된다. 왼눈을 가리면 좌측으로 빠른 움직임이 나타나고 우측으로 감속형저속기가 보인다. 두 눈을 모두 뜬 상태에서는 안진이 보이지 않는 잠복안진환자의 소견이다.

는 경우에 시력이 좋은 눈으로 볼 때 보다 강도가 심한 안진을 보인다.[13,14] 잠복안진의 정도는 V1의 안구우위칼럼간 연결의 손상정도와 비례하는 특성이 있다.

잠복안진의 빠른운동에서 동적오버슈트dynamic overshoot가 관찰될 수 있다.[4] 동적오버슈트는 빠른운동이 시작되는 순간에 속도가 튀는 소견을 말한다. 동적오버슈트는 영아안진증후군과 생리적안진에서도 관찰되는 현상이다(그림 3-5). 미세하게 회선안진이 혼합되어 나타나기도 한다.

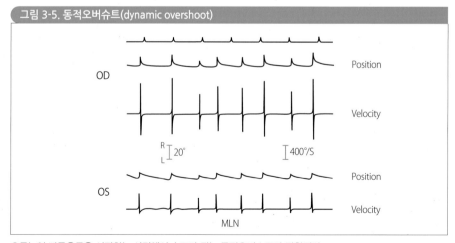

그림 3-5. 동적오버슈트(dynamic overshoot)

오른눈이 빠른운동을 시작하는 시점에서 속도가 튀는 동적오버슈트가 관찰된다.

2) 사시

사시는 잠복안진을 위한 필요조건이지 충분조건이 아니다.[3] 즉 잠복안진환자는 사시를 대부분 가지고 있지만 사시가 어린 시기에 발생한다고 해서 잠복안진이 모두 나타나는 것은 아니다.[15] Dell'Osso 등[4]은 31명의 현성잠복안진환자에서 환자 모두 수평현성사시horizontal tropia가 있다고 하였고 Jung과 Kornhuber은[16] 95%에서 현성사시를 가지고 있다고 하였다. 해리수직편위가 흔하게 동반되는데 이 또한 잠복안진환자에서 양안시가 손상되어 있음을 반영한다.[17] 영아내사시에서 조기수술을 하여 어느 정도의 양안시가 획득되면 잠복현성안진이 가릴때만 나타나는 잠복안진형태로 보일 수 있다. 또한 사시 환자가 이상망막대응anomalous retinal correspondence을 가지고 있는 경우 안진이 나타나지 않을 수 있다. 결론적으로 잠복안진은 두 눈의 양안시가 되지 않을 경우에 나타난다고 생각할 수 있다.

3) 이상머리위치

영아안진증후군에서는 영점구역null zone으로 주시하여 진폭을 줄일 수 있다. 하지만 영아안진에서 보이는 영점구역은 잠복안진에서 실제적으로는 존재하지 않는다. 잠복안진에서는 주시하는 눈 쪽으로 빠른눈운동이 보이므로 알렉산더법칙Alexander's rule에 의해 주시하는 눈을 내전시키면 파형이 줄어든다(그림 3-6). 예를 들어 좌안을 가리면 우안으로 주시할 때 오른쪽으로 빠른눈운동이 나타나며 왼쪽으

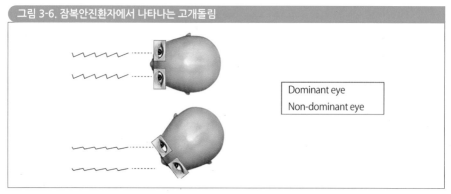

그림 3-6. 잠복안진환자에서 나타나는 고개돌림

Dominant eye
Non-dominant eye

정면주시보다 주시안이 내전된 상태에서 안진의 파형이 줄어들기 때문에 고개를 돌려 주시안을 내전시킨 상태로 보는 것을 선호한다.

로 느린운동이 나타난다. 왼쪽 방향으로 주시하면 즉, 주시하는 우안이 내전되면 안진이 줄어들게 된다. 따라서 고개돌림이 주시안 방향으로 나타날 수 있다. 잠복 안진의 강도는 자연스럽게 변하는데, 예를 들어 잠복안진이 있는 경우 가림치료를 하면 수일 내에 안진의 강도가 줄어드는 양상을 보인다.[13] 약시가 동반되어 가림을 하는 경우 초기에는 진동시를 호소할 수 있으나 장시간 오래 가리게 되면 진동시도 줄어들고 안진도 줄어들기 때문에 가림치료시에는 되도록 오랜시간을 가리는 것을 고려해야 한다.[18] 잠복안진에서 망막중심오목주시시간이 나타나는 경우는 매우 드물다.

4) 추종운동 및 시운동성반응

잠복안진에서 추종운동pursuit movement과 시운동성반응optokinetic response, OKR에 대한 이상소견이 나타날 수 있다(그림 3-7).[19] 이 현상들이 나타나는 이유는 코쪽방향으로의 움직임에 대한 반응이 떨어지는 이유로 코에서 귀쪽으로 이동하는 구간에서 이득gain이 낮기 때문이다. 시운동성반응의 이상반응은 두 가지 형태로 나타날 수 있다. 첫번째로는 코쪽에서 귀쪽으로 자극할 때 이득이 없거나 낮은 경우이고, 두번째 형태는 역전이 일어나는 경우이며 역전이 일어나는 경우는 주로 15세 미만의 소아에서 나타난다.[20]

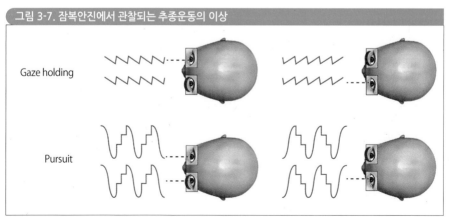

그림 3-7. 잠복안진에서 관찰되는 추종운동의 이상

Gaze holding

Pursuit

주시안의 코쪽방향으로의 추종운동은 정상소견을 보인다 하지만 귀쪽방향으로의 추종운동은 톱니바퀴와 같은 파형이 관찰된다.

⑤ 잠복안진의 감별진단

영아안진증후군과 감별하는 것이 중요하다. 두 질환의 감별진단은 간단하게 교대가림을 시행할 때 잠복안진은 바로 방향이 바뀌는 특성을 가지고 있으므로 구분이 가능하다. 또한 비디오안진검사와 같은 장비를 이용하여 파형을 측정하면 잠복안진은 저속기가 감속형이거나 직선형인 반면 영아안진증후군에서는 저속기가 증속형이거나 시계추안진이 주로 나타난다.

⑥ 잠복안진의 치료

잠복안진을 줄이기 위해서는 두 눈의 양안시를 회복시켜 안진의 진폭을 줄이거나 현성–잠복안진을 잠복안진 형태로 바꿀 수 있다.[21] 따라서 잠복안진의 치료는 양안시를 회복시키기 위해서 잔존하는 사시를 없애 정위를 획득하거나 두 눈의 불균형을 없애는 것이 목표이다.

Zubcov 등[22]은 사시를 가지고 있는 잠복안진환자 5명에 대해 사시수술을 시행하였으며 모두 정위가 되었고 현성잠복안진 형태가 모두 잠복안진으로 바뀌었다고 보고하였다. 또한 5명 중 4명에서는 양안으로 보는 시력 향상이 관찰되었다. 따라서 양안의 시자극이 동일해진다면 현성–잠복안진을 잠복안진으로 바꿀 수 있다.

현성–잠복안진에서 잠복안진으로 호전되었을 경우 시력의 변화에 대한 연구는 다양하다. Dell'Osso 등[3]과 van Weerden과 Houtman은[23] 시력변화가 없다고 하였으며 앞서 언급한 Zubcov 등은 시력의 개선을 보고하였으므로 보다 대규모 환자를 대상으로 한 연구가 필요하다.

비주시안으로 보는 경우에 잠복안진의 강도가 심해지므로 주시안을 사용하는 것이 추천된다. 대부분의 환자에서 주시안이 내전된 상태에서 진폭이 줄어들기 때문에 이를 고려하여 정면주시를 고집하기보다는 고개돌림을 통해 적응해 나가는 것도 좋다.

1) 사시 교정

내사시가 있는 경우는 내편위되어 있는 눈이 정면주시하기 위해서 외전에 대한 자극이 커져야 한다. 하지만 알렉산더법칙에 의해 이런 경우 안진의 강도가 심해지므로 내사시의 경우 내편위를 교정해주는 것이 좋다. 또한 내편위가 교정되는 경우 눈모음을 통해 융합을 시도하는 경우 안진억제효과가 있으므로 추가적인 이득이 발생한다. 하지만 외사시가 있는 경우 편위된 눈을 정위로 만들어 놓았을 때 융합이 발생하지 않으면 알렉산더법칙에 의해 강도가 심해질 수 있으므로 유의해야 한다.

2) 4근육근부착절제술 및 재봉합술

4근육근부착절제술 및 재봉합술four-muscle tenotomy and reattachment은 영아안진증후군에서 적용되는 수술이다. 이 수술을 잠복안진환자에게 적용한 경우에도 Dell'Osso 등[24]은 25% 정도의 시력개선과 50% 정도의 입체 시 호전을 가져온다고 하였다. 또한 환자의 읽기 능력이나 일상생활에 있어서 개선효과가 있다고 하였다.

[참고문헌]

1. Group CW. A National Eye Institute Sponsored Workshop and Publication on The Classification Of Eye Movement Abnormalities and Strabismus (CEMAS). 2001.
2. Tychsen L, Richards M, Wong A, Foeller P, Bradley D, Burkhalter A. The neural mechanism for Latent (fusion maldevelopment) nystagmus. J Neuroophthalmol 2010;30:276-83.
3. Dell'osso LF, Traccis S, Abel LA. Strabismus - a necessary condition for latent and manifest latent nystagmus. Neuro-Ophthalmology 1983;3:247-57.
4. Dell'Osso LF, Schmidt D, Daroff RB. Latent, manifest latent, and congenital nystagmus. Arch Ophthalmol 1979;97:1877-85.
5. Fox R, Aslin RN, Shea SL, Dumais ST. Stereopsis in human infants. Science 1980;207:323-4.
6. Lowel S, Singer W. Selection of intrinsic horizontal connections in the visual cortex by correlated neuronal activity. Science 1992;255:209-12.

7. Tychsen L, Wong AM, Burkhalter A. Paucity of horizontal connections for binocular vision in V1 of naturally strabismic macaques: Cytochrome oxidase compartment specificity. J Comp Neurol 2004;474:261-75.

8. Takemura A, Inoue Y, Kawano K, Quaia C, Miles FA. Single-unit activity in cortical area MST associated with disparity-vergence eye movements: evidence for population coding. J Neurophysiol 2001;85:2245-66.

9. Tychsen L, Lisberger SG. Maldevelopment of visual motion processing in humans who had strabismus with onset in infancy. The Journal of neuroscience : the official journal of the Society for Neuroscience 1986;6:2495-508.

10. Hoffmann KP, Distler C, Grusser OJ. Optokinetic reflex in squirrel monkeys after long-term monocular deprivation. Eur J Neurosci 1998;10:1136-44.

11. Watanabe I, Bi H, Zhang B, et al. Directional bias of neurons in V1 and V2 of strabismic monkeys: temporal-to-nasal asymmetry? Invest Ophthalmol Vis Sci 2005;46:3899-905.

12. Richards M, Wong A, Foeller P, Bradley D, Tychsen L. Duration of binocular decorrelation predicts the severity of latent (fusion maldevelopment) nystagmus in strabismic macaque monkeys. Invest Ophthalmol Vis Sci 2008;49:1872-8.

13. Simonsz HJ. The effect of prolonged monocular occlusion on latent nystagmus in the treatment of amblyopia. Doc Ophthalmol 1989;72:375-84.

14. Schor CM, Westall C. Visual and vestibular sources of fixation instability in amblyopia. Invest Ophthalmol Vis Sci 1984;25:729-38.

15. Dell'Osso LF. Congenital, latent and manifest latent nystagmus-similarities, differences and relation to strabismus. Jpn J Ophthalmol 1985;29:351-68.

16. Jung R, Kornhuber H, Bender M. The oculomotor system. Hoeber, New York 1964:428-82.

17. Anderson JR. Latent nystagmus and alternating hyperphoria. Br J Ophthalmol 1954;38:217-31.

18. Simonsz HJ, Kommerell G. The effect of prolonged monocular occlusion on latent nystagmus in the treatment of amblyopia. Bull Soc Belge Ophtalmol 1989;232:7-12.

19. Kommerell G, Mehdorn E. Is an optokinetic defect the cause of congenital and latent nystagmus. Functional basis of ocular motility disorders 1982:159-67.

20. Dickinson CM, Abadi RV. Pursuit and optokinetic responses in latent/manifest latent nystagmus. Invest Ophthalmol Vis Sci 1990;31:1599-614.

21. Healy E. Nystagmus treated by orthoptics. The American orthoptic journal 1952;2:53-5.

22. Zubcov AA, Reinecke RD, Gottlob I, Manley DR, Calhoun JH. Treatment of manifest latent nystagmus. Am J Ophthalmol 1990;110:160-7.

23. van Weerden TW, Houtman WA. Manifest latent nystagmus of late onset: a case report. Ophthalmologica 1984;188:153-8.

24. Dell'Osso LF, Orge FH, Jacobs JB, Wang ZI. Fusion maldevelopment (latent/manifest latent) nystagmus syndrome: effects of four-muscle tenotomy and reattachment. J Pediatr Ophthalmol Strabismus 2014;51:180-8.

끄덕임연축

한진우

끄덕임연축spasmus nutans이란 안진, 머리끄덕임head nodding, 사경torticollis을 동반하는 안진을 말한다(동영상 3-2).[1] 대개는 생후 6개월 이후부터 생후 18개월 이내에 발생하여 후천성안진acquired nystagmus의 범주에 해당되나 영아기에 발생하는 경우도 있다. 끄덕임연축이 영아안진과 구분이 되는 점은 간헐성intermittent일 수 있으며, 대개 한쪽 눈에 빠른 진동수high frequency를 가지며 진폭이 작은low amplitude 안진이 관찰되며 다른 눈에서는 안진이 이보다 덜한 것이 관찰되는 것이 차이점이다. 또한, 안진 방향이 양안에서 다른 경우도 있고, 단안 안진 형태로 나타날 수도 있다. 안진, 머리끄덕임, 사경의 3가지 증상 중에 머리끄덕임과 사경은 없이 안진만 나타나는 경우도 있으며, 사경은 약 50% 이하에서 나타난다고 보고하고 있다(표 3-2). 머리끄덕임은 진정눈반사vestibuloocular reflex가 아닌 다른 경로를 통하여 안진으로 인한 진동을 감소시켜 잘 보이게 하기 위한,[2,3] 보상적 행동이라고 생각되고 있다.

동영상 3-2. 끄덕임연축

표 3-2. 끄덕임연축의 임상적 특징

- 진폭이 작고 빠른 안진
- 양안의 안진의 정도가 다름
- 간헐성, 비대칭적이며 단안에만 나타나는 경우도 있음
- 머리끄덕임
- 다양한정도의 사경
- 6개월에서 18개월 사이에 발생

1. 원인

끄덕임연축의 원인은 잘 알려져 있지 않다. 영아안진증후군과 함께 고개끄덕임과 고개기울임의 임상양상은 비슷하나, 안진의 양상은 영아안진증후군과는 차이가 있다. 이전의 보고에 의하면 사회경제적 저소득층low socioeconomic status, 흑인 혹은 동양인, 집안에서의 낮은 조도가 끄덕임연축과 관계가 있는 것으로 추정되고 있으나 명확한 인과관계는 알려져 있지 않다.[4] 끄덕임연축은 백인보다는 흑인에서 더 흔하며, 안진의 시작시기가 겨울에 더 흔히 발견된다고 보고되었다.[5] 영아안진증후군에서 X염색체 연관 특발성영아안진의 분자유전학적인 원인이 *FRMD7* 돌연변이에 의한 것이라고 밝혀졌으나,[6] 끄덕임연축의 유전학적인 원인에 대하여서는 현재까지 알려진 바가 없다.

2. 감별진단

끄덕임연축은 대개는 6개월에서 18개월 사이에 증상이 시작되어 생후 3년 정도에 안진이 사라지는 양호한 경과를 보인다. 끄덕임연축 환자들은 대개 내사시, 잠복안진, 약시가 많이 동반이 된다고 알려져 있다. 그러나 이러한 비대칭 안진 및 머리끄덕임을 동반하는 증상은 시신경아교종optic pathway glioma과 연관이 되거나 유전성망막질환inherited retinal disease과 연관이 되는 경우가 있어 정밀한 안과적 검진, 망막전위도검사와 뇌 MRI 촬영이 반드시 필요하다.[7] 주로 시신경교차 부위에서 발생하는 시신경아교종chiasmal glioma과 연관이 있는 경우가 많으며 다른 안장위종양suprasellar tumor, 대사질환들도 끄덕임연축과 비슷한 양상의 안진을 보일 수

있다. 이러한 경우에는 끄덕임연축유사안진spasmus nutans-like nystagmus으로 분류
하여 지칭하는 것이 좋다. 그러나 40명의 끄덕임연축 환자에서 뇌 자기공명영상
검사를 하였는데 시신경아교종이 발견된 경우는 없었다는 보고도 있다.[8] 그 외에
도 끄덕임연축유사안진spasmus nutans-like nystagmus을 보였던 환자들이 추후 펠리체
우스-메르츠바허병Pelizaeus Merzbacher disease 등 다른 전신적인 질환이 진단되기도
하며, 이런 환자에서 초기에 나타나는 안진이 끄덕임연축과 유사할 수 있다.[9] 또
한, 완전색맹achromatopsia, 선천비진행야맹congenital stationary night blindness, 바뎃-비
들증후군Bardet-Beidel syndrome이 끄덕임연축으로 초기에 진단이 되는 경우가 있으
므로 이런 안진을 보이는 환자에게서 뇌 자기공명영상뿐만 아니라, 망막전위도를
포함한 철저한 안과적 검사를 시행하여야 한다.[10]

1) 영아기의 양성 간헐성 사경Benign Paroxysmal Torticollis of Infancy

1969년 Snyder는 간헐적으로 사경을 보이는 12명의 영아들을 보고하였는데, 사경
은 10분에서 2일까지 지속되며 사경이 발생할 때 구토, 창백, 불안을 보이는 경우
가 있었으며 여자아이에서 더 흔하게 관찰되었다고 보고하였다.[11] 이러한 영아기
에 발생하는 간헐적인 사경은 전정신경계에 발생하는 편두통의 일종으로 여겨지
고 있으며, 대개는 생후 12개월 안에 발생하여 만 5세 때 좋아진다고 알려져 있다.
영아기에 간헐적인 고개기울임이 발생하고 편두통의 가족력이 있으면 여러 침습
적이고 고가의 의학적인 검사는 필요하지 않으며, 최근에는 *CACNA1A* 돌연변이
가 원인으로 알려져 소뇌의 신호전달의 문제로 발생하는 것으로 병인이 알려져
있다.[12] 따라서 사경을 주소로 내원하는 환자에서는 끄덕임연축과 함께 진단을 고
려해야 하며 유전자검사를 통하여 확진을 할 수 있다.

2) 시신경교차부위 시경아교종

시신경교차 부위의 신경아교종chiasmal glioma은 끄덕임연축유사안진을 동반하는
경우가 있으며 끄덕임연축으로 내원하는 환자에서 반드시 감별해야 될 질환이다
(표 3-3).[13] 어린아이에서는 신경학적인 증상이 뚜렷하지 않고 시력을 측정하기 어
려우므로 임상증상만으로 두 질환을 감별하는 것이 어렵다. 또한 환자가 증상을

호소하지 않으므로 반드시 뇌 자기공명영상촬영을 통하여 시신경교차부위 부위
이상 유무를 자세하게 확인하는 것이 필요하다.

표 3-3. 끄덕임연축으로 내원하는 환자에서 시신경아교종을 시사하는 소견	
• 서양인	• 상대구심성동공장애
• 생후 4개월전에 안진발생	• 동반되는 신경학적인 증상
• 카페오레반점(café au lait spots)	• 쇠약(emaciation)
• 큰 머리둘레	• 시신경 부종 혹은 창백

그림 3-8. 끄덕임연축 유사안진으로 나타난 뇌종양 환아

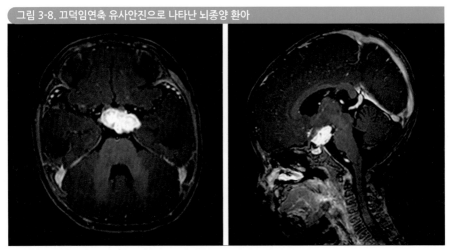

8개월 여환이 최근 새로 발생한 3 Hz의 안진으로 내원하였으며 안진은 우안이 좌안보다 심하였다. 머리끄덕임
도 관찰되었으며 끄덕임연축으로 진단하고 뇌 자기공명영상촬영을 하였더니 배아세포종(germinoma)을 시사
하는 큰 안장위종양(suprasellar tumor)이 관찰되었다.

3) 막대세포-원뿔세포이상증

소수의 유전성망막질환이 끄덕임연축 형태의 눈떨림으로 나타날 수 있다고 보고
가 되어 있으며, *KCNV2* 망막변성 혹은 *RP2* 막대세포-원뿔세포이상증이 원인으
로 알려져 있다(그림 3-9).[14-16] 임상양상이 끄덕임연축과 매우 유사하며, 내원 당시
의 망막변성이 주변부에 국한되어 있어 임상진료에서 놓치는 경우가 많다. 또한,
따라서 끄덕임연축 환자에서는 자기공명영상촬영과 함께 반드시 망막전위도를
시행하여 동반된 유전성 망막질환이 없는지 확인하고 유전자검사를 통하여 확인

을 하는 것이 필요하다.

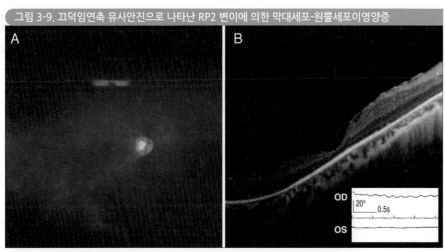

그림 3-9. 끄덕임연축 유사안진으로 나타난 RP2 변이에 의한 막대세포-원뿔세포이영양증

(A) 안저촬영에서 망막혈관궁 바깥쪽으로 관찰되는 미만성색소변성 (B) 빛간섭단층촬영에서 망막시세포외분절의 전반적인 손상과 망막외세포층이 얇아져 있음. (박스) 우안에서는 4Hz의 시계추안진이 관찰되며 좌안은 안진이 거의 관찰되지 않음.

Adapted and reproduced with permission from Yoo TK, Han SH, Han J. RP2 Rod-Cone Dystrophy Causes Spasmus Nutans-Like Nystagmus. J Neuroophthalmol 2021;41(1):e91-e93.

4) 리이증후군Leigh's syndrome

리이증후군은 중추신경계의 병변이 나타나는 유전질환으로 주로 생후 3-12개월에 발병하며 진행속도가 빠른 질환이다. 주로는 사립체 유전자의 돌연변이에 의해 유전되어 발생하며 성장장애, 근력소실, 유산증이 나타나며 시력소실, 고개기울임, 안검하수 혹은 안진이 주증상으로 내원하는 경우도 있으므로 끄덕임연축으로 내원한 환자에서 반드시 감별진단해야 될 질환이다.[17]

5) 하이만-비엘쇼우스키 현상Heimann-Bielschowsky phenomenon

드물게 단안의 시력소실이 심한 경우 단안에서 수직의 진폭이 크며 느린 안진large amplitude low frequency nystagmus이 발생할 수 있다.[18,19] 하이만-비엘쇼우스키 현상은 수직으로 눈이 느리게 떨리고 진폭이 작거나 클 수 있으나, 끄덕임연축은 주로는 수평의 눈떨림이 발생하며 비교적 작은 진폭으로 떨리고 시력은 정상이다. 하지만 끄덕임연축의 눈떨림도 방향이 수직일 수 있으며, 주시 방향에 따라서 눈떨림의 방향이 바뀔 수 있다. 따라서 환자에서 단안의 안진이 있다면 단안의 시력이 소실된 경우인지 혹은 안진이 동반된 눈에서 시력의 구심성경로visual afferent system에 다른 원인이 없는지 등을 관찰한다.

③ 예후 및 치료

끄덕임연축은 일반적으로 나이가 들어 7-10세 정도가 되면 안진이 사라지는 것으로 알려져 있었으나, Gottlob 등은 10명의 끄덕임연축 환자를 장기관찰하였을 때 5-12세가 지나도 잠재성의 안진이 지속적으로 관찰되었다고 보고하고 있으며,[20] Weissman 등도 7명의 끄덕임연축 환자에서 장기적으로 관찰하였을 때 안진이 지속적으로 남아 있었다고 하였다.[21] 끄덕임연축환자에서 특별한 치료법은 없으며, 철저한 검사를 통하여 원인질환이 없는지 확인하는 것이 중요하다.

[참고문헌]

1. Norton EW, Cogan DG. Spasmus nutans; a clinical study of twenty cases followed two years or more since onset. AMA Arch Ophthalmol. 1954;52(3): 442-6.

2. Gresty M, Halmagyi GM. Head nodding associated with idiopathic childhood nystagmus. Ann N Y Acad Sci. 1981;374:614-8.

3. Gottlob I, Zubcov AA, Wizov SS, Reinecke RD. Head nodding is compensatory in spasmus nutans. Ophthalmology. 1992;99(7):1024-31.

4. Jayalakshmi P, Scott TF, Tucker SH, Schaffer DB. Infantile nystagmus: a prospective study of spasmus nutans, and congenital nystagmus, and unclassified nystagmus of infancy. J Pediatr. 1970;77(2):177-87.

5. Herrman C. Head shaking with nystagmus in infants: A study of sixty-four cases. American Journal of Diseases of Children. 1918;16(3):180-94.

6. Tarpey P, Thomas S, Sarvananthan N, Mallya U, Lisgo S, Talbot CJ, et al. Mutations in FRMD7, a newly identified member of the FERM family, cause X-linked idiopathic congenital nystagmus. Nat Genet. 2006;38(11):1242-4.

7. Donin JF. Acquired monocular nystagmus in children. Can J Ophthalmol. 1967;2(3):212-5.

8. Bowen M, Peragallo JH, Kralik SF, Poretti A, Huisman T, Soares BP. Magnetic resonance imaging findings in children with spasmus nutans. J AAPOS. 2017;21(2):127-30.

9. Arnoldi KA. Congenital nystagmus masquerading as spasmus nutans. American Orthoptic Journal. 1996;46(1):171-80.

10. Lambert SR, Newman NJ. Retinal disease masquerading as spasmus nutans. Neurology. 1993;43(8):1607-9.

11. Snyder CH. Paroxysmal torticollis in infancy. A possible form of labyrinthitis. Am J Dis Child. 1969;117(4):458-60.

12. Giffin NJ, Benton S, Goadsby PJ. Benign paroxysmal torticollis of infancy: four new cases and linkage to CACNA1A mutation. Dev Med Child Neurol. 2002;44(7):490-3.

13. Kiblinger GD, Wallace BS, Hines M, Siatkowski RM. Spasmus nutans-like nystagmus is often associated with underlying ocular, intracranial, or systemic abnormalities. J Neuroophthalmol. 2007;27(2):118-22.

14. Khan AO, Alrashed M, Alkuraya FS. 'Cone dystrophy with supranormal rod response' in children. Br J Ophthalmol. 2012;96(3):422-6.

15. Khan AO. Recognizing the KCNV2-related retinal phenotype. Ophthalmology. 2013;120(11):e79-80.

16. Yoo TK, Han SH, Han J. RP2 Rod-Cone Dystrophy Causes Spasmus Nutans-Like Nystagmus. J Neuroophthalmol. 2020.

17. Sedwick LA, Burde RM, Hodges FJ, 3rd. Leigh's subacute necrotizing encephalomyelopathy manifesting as spasmus nutans. Arch Ophthalmol. 1984;102(7):1046-8.

18. Brodsky MC, Buckley EG, McConkie-Rosell A. The case of the gray optic disc! Surv Ophthalmol. 1989;33(5):367-72.

19. Good WV, Jan JE, Hoyt CS, Billson FA, Schoettker PJ, Klaeger K. Monocular vision loss can cause bilateral nystagmus in young children. Dev Med Child Neurol. 1997;39(6):421-4.

20. Gottlob I, Wizov SS, Reinecke RD. Spasmus nutans. A long-term follow-up. Invest Ophthalmol Vis Sci. 1995;36(13):2768-71.

21. Weissman BM, Dell'Osso LF, Abel LA, Leigh RJ. Spasmus nutans. A quantitative prospective study. Arch Ophthalmol. 1987;105(4):525-8.

04

안진의 감별진단

수의안진

김응수

① 수의안진

수의안진voluntary nystagmus은 19세기 초에 여러 임상가들에 의해 기술되었으며 매우 빠른 빈도와 낮은 진폭으로 의도적으로 만들어 내고 멈출 수 있는 안진으로, 수의안구떨림voluntary ocular tremor, 수의안구세동voluntary ocular fibrillation, 수의안구진동voluntary ocular oscillation 등으로 명명되었다.

신경과적 질환 중 기질적 변화 없이 심인성으로 정신기능의 장애를 일으키는 질환을 기능적정신질환functional psychosis으로 분류한다. 안구운동 중에도 기질적 질환 없이 비정상적인 안구운동을 보일 수 있으며 이러한 심인성 장애에 기인한 비정상적인 안구운동을 통틀어 기능적안구운동장애로 분류하고 이 범주에 수의안진, 조절연축convergence spasm, 기능적눈모음마비functional convergence paralysis, 기능적눈간대경련functional opsoclonus, 기능적긴장성주시편위functional tonic gaze deviation 등이 포함된다.[1]

1) 임상양상

정상인의 약 8%에서 의도적으로 수의안진을 만들어 낼 수 있다.[2] 한 연구에서 5대에 걸쳐 수의안진이 관찰되어 우성유전의 가능성과 유전형을 가지고 있는 경우 침투율penetrance이 높음을 주장하였다.[3] 또한 같은 가족에서 발생하는 경우 안진의 양상이 비슷하여 수의안진의 유전적 성향의 가능성을 시사한다.[4]

주로 눈모음을 유발시키면서 수의안진을 만들어 내고, 동반되는 양상으로는 눈모음과다, 축동, 눈꺼풀떨림, 이마의 주름 등이 관찰되며, 수의안진 동안에는 진동시를 느낀다(동영상 4-1).

동영상 4-1. 수의안진

2) 수의안진의 파형

수의안진의 양상은 인위적으로 만들어 내기 때문에 매우 다양하다(표 4-1). 엄밀히 말하면 저속기 운동이 관찰되지 않으므로 안진보다는 안구조동ocular flutter으로 보는 것이 맞다(그림 4-1).

표 4-1. 수의안진의 파형 형태[2]

	최소	최대	평균
빈도(Hz)	5	28	16
진폭(°)	1.0	20	5.2
지속시간(sec)	4	50	22.4

그림 4-1. 수의안진에서 보이는 안진파형

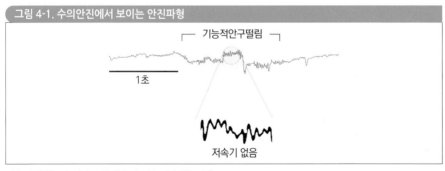

저속기 없이 고속기만 보이며 오래 지속되지 않는다.[1]

파형은 시계추안진의 형태를 보인다. 빈도는 일반적인 안진보다는 매우 빠르게 움직이며 눈모음에 의해서 안진의 빈도를 증가시킬 수 있다. 빈도는 일반적으로 잠복안진(4-5 Hz)보다는 빠르지만 생리적안진의 안구떨림(30-90 Hz)보다는 느리다. 보통 병적인 안구조동이나 눈간대경련opsoclonus에서 보이는 13 Hz의 빈도와 비슷하다.

인위적으로 안진을 유지하기 때문에 평균적으로 25초 이상을 넘기 힘들다. 하지만 일부 보고에서는 90초까지 유지하는 경우도 있으므로 유의하여야 한다.

환자 스스로 안진을 만들어 내기 때문에 안진의 빈도는 주로 일관된 소견을 보인다.[5] 주로 수평방향의 안진을 보이나 Krohel과 Griffin[6]은 4번뇌신경마비 환자에서 수직방향의 수의안진이 확인된 증례를 보고하였다. 따라서 다양한 방향의 수의안진이 발생할 수 있다.

수의안진은 주시점이 가측lateral gaze으로 이동하면 안진의 빈도가 유의하게 감소하는 특징을 가지고 있다(그림 4-2).

그림 4-2. 주시점의 변화에 따른 수의안진의 변화

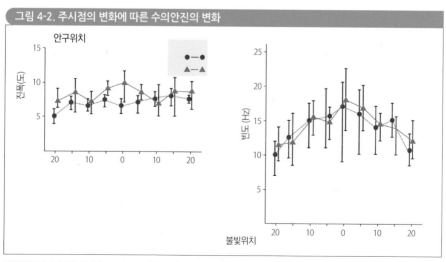

정면에서 주시점을 가측(lateral gaze)으로 움직이면 빈도가 감소하는 양상을 보인다.[2]

3) 동반되는 증상

머리떨림이나 눈꺼풀떨림 등 다양한 이상운동들이 동반된다. Lee와 Gresty[7]는 24세 여성에서 수의안진과 머리떨림이 동반된 증례를 보고하였으며 수의안진과 머리떨림은 일정한 양상을 보이지 않고 독립적인 경향이 있어 안진이 멈춘 이후에도 머리떨림은 지속되는 것을 확인하였다. 53세 여성은 한 곳을 집중하여 수의안진을 유발할 수 있었으며 이 환자에서는 눈꺼풀조동eyelid flutter이 동반된 소견을 보였다.[8]

4) 감별진단

영아안진과는 다르게 눈을 감거나 어둡게 할 때 줄어드는 양상이 나타나지 않는다. 수의안진은 의도적으로 안진을 유발하나 불수의적으로도 수의안진과 비슷한 파형의 안진이 나타날 수 있는데 이를 기능적안진functional nystagmus이라고 한다. 이런 환자에서도 수의안진과 비슷하게 진동시가 나타나고 이로 인해 시야가 흐려지거나 집중하기 어려운 증상을 호소한다. 기능적안진 환자들은 대부분 수평안진을 보인다. 하지만 수평운동과 함께 수직, 회선 운동이 동반된 경우도 보고되었다.[9]

중요하게 감별해야 할 질환은 기질적인 원인으로 발생하는 안구조동ocular flutter이다. 안구조동은 간헐적인 빠른 일치성 수평 안진을 말하며 빈도는 10-15 Hz 정도이다. 수의안진이 평균 20-25초 이상을 넘기지 않는 반면 안구조동은 지속기간이 더 길고, 빈번하게 나타나며 하향안진downbeat nystagmus, 측정과대신속운동hypermetric saccades과 같은 소뇌병변에서 보이는 안구운동장애가 동반되는 경우가 흔하다.

수의안진의 파형이 시계추안진과 유사하므로 안구개진전, 소뇌질환, 다발성경화증과 관련된 후천시계추안진과 감별하는 것도 중요하다.[10]

5) 치료

환자가 진동시를 호소한다면 조절과 폭주를 막기 위해 플러스렌즈를 사용해 볼 수 있다.[4]

[참고문헌]

1. Kaski D, Bronstein AM. Functional eye movement disorders. Handb Clin Neurol 2016;139:343-51.
2. Zahn JR. Incidence and characteristics of voluntary nystagmus. J Neurol Neurosurg Psychiatry 1978;41:617-23.
3. Voluntary nystagmus in five generations. J Neurol Neurosurg Psychiatry 1976;39:300-4.
4. Neppert B, Rambold H. Familial voluntary nystagmus. Strabismus 2006;14: 115-9.
5. Jarrett A, Emery JM, Coats AC, Justice J, Jr. Voluntary nystagmus. Annals of ophthalmology 1977;9:853-9.
6. Krohel G, Griffin JF. Voluntary vertical nystagmus. Neurology 1979;29:1153-4.
7. Lee J, Gresty M. A case of "voluntary nystagmus" and head tremor. J Neurol Neurosurg Psychiatry 1993;56:1321-2.
8. Bassani R. Images in clinical medicine. Voluntary nystagmus. N Engl J Med 2012;367:e13.
9. Sato M, Kurachi T, Arai M, Abel LA. Voluntary nystagmus associated with accommodation spasms. Jpn J Ophthalmol 1999;43:1-4.
10. Fisher A, Davies H, Wallis S. Observations on voluntary nystagmus. Clin Exp Neurol 1979;16:235-40.

중추안진과 속진

최재환

①. 중추안진 central nystagmus

1) 자발안진 spontaneous nystagmus

특별한 유발인자 없이 안진이 관찰되는 경우를 자발안진이라고 하며, 말초성과 중추성으로 분류할 수 있다(표 4-2).[1-4] 말초성 자발안진은 그 양상(수평-회선안진)이나 방향(병변 반대편), 주시fixation에 의한 영향(약화) 등이 비교적 일정하지만, 중추성 자발안진은 다양하게 관찰될 수 있다는 점이 특징이다. 즉 순수한 수직 방향의 안진이나 회선안진은 의심할 여지없이 중추성 병변을 시사하지만, 말

표 4-2. 말초성 및 중추성 안진의 감별

특징	말초성 안진	중추성 안진
양상	수평-회선 혼합형	수평-회선 혼합형 순수 수직 또는 회선형
방향	일측성(병변 반대편)	일측성 또는 방향전환성(주시유발안진)
주시에 의한 영향	억제	다양
적응	수일 내 사라짐	종종 지속적임
현훈	두드러짐	경미함
청력 증상(이명, 청력소실)	흔히 동반	보통 없음
신경학적 징후	없음	뇌간 또는 소뇌징후

초성 안진인 일측성 수평–회선안진 역시 중추성 병변에서 관찰될 수 있다. 또한 일반적으로 중추성 안진은 주시에 의해 억제되지 않는 것으로 알려져 있으나, 실제로는 주시에 의해 억제되는 경우가 종종 관찰된다. 따라서 중추성 병변에서는 다양한 양상의 안진이 관찰되며, 대표적인 중추성 자발안진은 다음과 같다.

(1) 수직안진vertical nystagmus
① 종류
순수한 수직 방향의 안진으로 하방안진downbeat nystagmus과 상방안진upbeat nystag-mus을 포함한다.[1-4]

하방안진은 두 눈이 서서히 위로 치우쳤다가 신속운동에 의해 원래의 위치로 되돌아오는 형태의 안진으로 주로 소뇌질환에서 관찰된다(그림 4-3). 흔히 보행실조나 진동시를 호소하며, 동반된 스큐편위로 인해 복시가 발생할 수 있다. 하방안진은 일반적으로 하방주시시 심해지고, 상방주시시 약해지는 알렉산더법칙Alexander's rule을 따르지만, 일부에서는 상방주시시 심해지기도 한다. 이런 경우에는 안진의 저속기 속도가 점차 증가하는 양상이라 신경적분체neural integrator의 불안정성을 시사한다. 또한 대부분의 하방안진은 눈모음이나 수평주시시 심해지지만, 주시에 의해서는 영향을 받지 않는다.

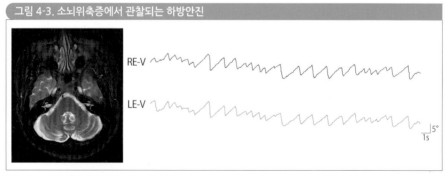

그림 4-3. 소뇌위축증에서 관찰되는 하방안진

RE-V, 우안 수직안위; LE-V, 좌안 수직안위

상방안진은 제일안위에서 위쪽으로 향하는 안진으로 주로 뇌간 병변에서 발생한다(그림 4-4).[1-5] 일반적으로 상방주시시 심해지지만, 하방주시시 심해지는 경우도 있으며, 이 경우 역시 신경적분체의 불안정을 시사한다. 하방안진과는 달리 수평주시시 영향을 받지 않으며, 눈모음이나 주시에 의한 영향은 다양하다.[1]

그림 4-4. 꼬리쪽 연수 병변(화살표)에서 관찰되는 상방안진

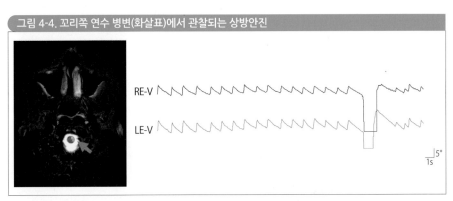

RE-V, 우안 수직안위; LE-V, 좌안 수직안위

---

② 기전

수직안진의 기전으로 전정안구반사vestibuloocular reflex나 추종운동smooth pursuit의 불균형, 이석otolith기관의 이상, 신경적분체neural integrator의 불안정성 등이 제시되고 있지만, 수직방향의 전정안구반사 불균형이 널리 받아들여지고 있다.[1,5] 전정안구반사란 머리 움직임의 반대 방향으로 안구운동을 유발하는 반사로, 머리가 움직이는 동안 시선을 일정하게 유지하는 역할을 한다. 전정안구반사 신호는 양측 내이에 존재하는 반고리관semicircular canal에서 시작되어 전정신경핵으로 전달되며, 뇌간에 위치하고 있는 안쪽세로다발medial longitudinal fasciculus을 통해 안구운동핵으로 전달되어 적절한 방향의 안구운동이 발생한다. 수직 반고리관 중 상반고리관anterior semicircular canal은 상향안구운동upward eye movement을, 후반고리관posterior semicircular canal은 하향안구운동downward eye movement을 담당하지만, 수직전정안구반사는 본래 상방 편위로의 비대칭적인 편향성bias이 내재되어 있고, 이를 소뇌의 타래flocculus가 억제하고 있다(그림 4-5A). 따라서 소뇌질환에서는 타래의 억제성 신호가 감소하면서 안구의 상방 편위가 발생하게 되고, 이런 교정하기 위한 신속운동이 하방안진으로 나타나게 된다(그림 4-5B). 이에 반해 교뇌의 피개 tegmentum 부위 병변에서는 상반고리관에서 기원하는 상향 전정안반사로가 침범되어 안구의 하방 편위 및 상방안진이 발생한다(그림 4-5C). 내측 연수 병변에서는

그림 4-5. 수직안진의 기전

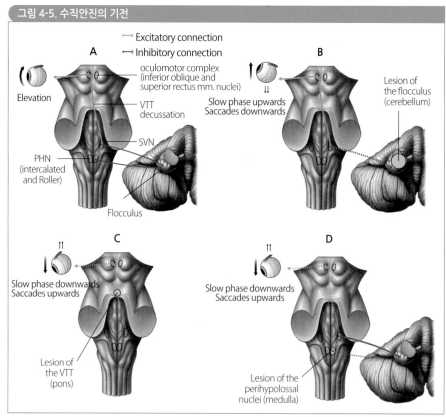

A. 정상 회로. 수직 전정안구반사는 안쪽세로다발을 경유하는 경로 외에 상전정신경핵(superior vestibular nucleus, SVN)을 통해 상향안구운동을 조절하는 경로가 하나 더 있기 때문에 상방 편위로의 편향성이 있다. 이러한 상방 편향성을 소뇌의 타래(flocculus)가 억제하고 있고, 타래는 꼬리쪽 연수에 위치하고 있는 혀밑주위핵 (perihypoglossal nuclei, PHN)에 의해 억제되고 있어 수직 전정안구반사의 상방 편향성을 서로 조절하고 있다. B. 소뇌 병변으로 인한 하방안진. 소뇌 타래 병변에서는 상전정신경핵에 대한 탈억제(disinhibition) 현상으로 안구가 상방으로 편위되고, 이를 교정하기 위한 신속보기운동이 하방으로 발생한다. C. 교뇌 병변으로 인한 상방안진. 교뇌에 위치한 배쪽뒤판로(ventral tegmental tract, VTT) 병변에서는 상전정신경핵을 경유하는 상향안구운동의 장애로 안구가 하방으로 편위되고, 이를 교정하기 위한 신속보기운동이 상방으로 발생한다. D. 연수 병변으로 인한 상방안진. 혀밑주위핵 병변에서는 타래에 대한 탈억제 현상으로 수직 전정안반사의 상방 편향성이 과도하게 억제되어 안구가 하방으로 편위되고, 이를 교정하기 위해 상방안진이 발생한다.

혀밑주위핵perihypoglossal nuclei의 가장 아래쪽 부위인 사이핵nucleus intercalatus 손상으로도 상방안진이 관찰될 수 있으며, 마찬가지로 수직 전정안반사의 불균형 또는 신경적분체의 기능 이상으로 설명하고 있다(그림 4-5D).

③ 원인 질환

하방안진은 척수소뇌실조증spinocerebellar ataxia이나 다계통위축증multiple system atrophy 등과 같은 퇴행성 소뇌질환에서 주로 관찰된다.[1-5] 이 밖에 소뇌 부위의 뇌경색이나 뇌종양, 뇌염 등에서도 관찰되며, 소뇌 변성을 유발하는 여러 독성이나 대사성 장애에서도 하방안진이 발생할 수 있다. 이에 반해 상방안진은 주로 뇌간을 침범하는 질환에 의해 발생하며, 뇌종양, 뇌경색, 다발경화증multiple sclerosis 등이 흔한 원인 질환이다.

(2) 회선안진torsional nystagmus

회선안진은 눈의 전후측을 중심으로 눈이 안쪽(내회선) 또는 바깥쪽(외회선)으로 도는 안진을 말한다.[1-4] 수직안진과 마찬가지로 머리위치에 의해 안진의 세기가 변할 수 있고, 눈모음에 의해서는 억제되지만, 주시에 의해서는 영향을 받지 않는다. 순수한 회선안진은 주로 뇌간 피개 부위 병터에서 관찰되며, 안구기울임반응ocular tilt reaction, OTR이 동반되는 경우가 많다. 뇌간 중에서도 연수나 중뇌 병터에서 주로 관찰되며, 수직 방향의 안진이 동반될 수 있다. 특히 외측연수증후군lateral medullary syndrome에서는 병터 반대편 및 위쪽으로 향하는 안진이 흔하며, 이는 병변측 수직 전정안구반사의 선택적 장애로 발생한다. 중뇌에서는 카할간질핵interstitial nucleus of Cajal, INC 병터로 인해 동측으로 향하는, 안쪽세로다발입쪽사이질핵rostral interstitial nucleus of the medial longitudinal fasciculus, riMLF 병터에서는 반대편으로 향하는 회선안진이 관찰된다. 원인 질환으로는 뇌간 부위 뇌경색이 가장 흔하며, 연수공동증syringobulia이나 동정맥기형arteriovenous malformation, 뇌종양, 다발경화증 등에서도 보고되고 있다.[1]

(3) 시소안진seesaw nystagmus

한쪽 눈은 올라가면서 내회선되고 반대편 눈은 내려가면서 외회선되는 양상의 안진이 양쪽 눈에서 교대로 관찰되는 경우를 일컫는다(그림 4-6A).[1-4] 안진의 파형은 모두 느린 성분으로 구성된 시계추안진pendular nystagmus 양상이다. 하지만 저속기와 고속기가 한 주기를 구성하기도 하며, 이를 편측시소안진hemi-seesaw nystagmus라고 한다. 시소안진과 편측 시소안진은 다른 기전에 의해 발생한다. 시소안진은 양안시력저하나 시신경교차optic chiasm 부위 병터, 양이측반맹bitemporal hemianopsia에서 흔히 관찰되는 점으로 미루어 볼 때, 시각정보의 입력 장애로 인해 전정안구반사의 오차error를 교정하기 위한 적응기전adaptive mechanism의 장애로 설명할 수 있다.[1,6,7] 이에 반해 편측시소안진은 중뇌-사이뇌이음부midbrain-diencephalon junction의 병터나 내측연수증후군, 일측 핵간안근마비internuclear ophthalmoplegia에서 주로 관찰된다.[1,8-10] 중뇌-사이뇌이음부midbrain-diencephalon 병터에서는 수직-회선 눈운동에 관여하는 안쪽세로다발입쪽사이질핵과 카할간질핵의 일측 병터로 설명한다. 내측연수증후군과 핵간안근마비에서는 수직 전정안구반사의 손상이나 동반된 안구기울임반응이 그 원인으로 제시되고 있다.[8-10] 특히 상반고리관 또는 반고리관에서 기원하는 수직 전정안구반사로 중 하나가 단독으로 또는 함께 침범되는지에 따라 수직 성분의 방향이나 진폭이 서로 다르게 나타날 수 있다(그림 4-6B, 동영상 4-2).[9,10]

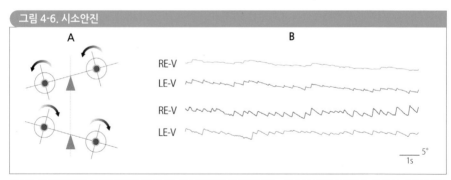

그림 4-6. 시소안진

한쪽 눈은 올라가면서 내회선되고 반대편 눈은 내려가면서 외회선되는 양상의 안진이 양쪽 눈에서 교대로 관찰된다(A). 핵간안근마비에서 관찰되는 편측 시소안진(hemi-seesaw nystagmus). 상방안진은 주로 좌안에서 관찰되며, 시계방향(clockwise)의 회선안진은 우안에서 더 큰 진폭으로 관찰된다(동영상 4-2). RE-V, 우안 수직안위; LE-V, 좌안 수직안위; RE-T, 우안 회선안위; LE-T, 좌안 회선안위

동영상 4-2. 핵간마비 시소안진

(4) 시계추안진pendular nystagmus

주시점으로부터 벗어나는 눈운동과 다시 원래 위치로 되돌아오는 눈운동 모두가 느린 안진이다.[1-4,11] 안진 중에서 가장 심한 시력장애를 유발하여, 환자들은 흔히 선명하지 않게 보이거나 진동시를 호소한다. 보통 수평, 수직, 회선 성분이 섞여 있으며, 이들 성분들의 크기와 위상phase에 따라 안진의 궤적trajectory이 결정된다. 특히 수평, 회선 성분의 방향이 양안에서 상반되어 눈모음벌림안진convergent-divergent nystagmus 양상으로 관찰되는 경우가 흔하다. 대개 진동 주기는 양안에서 동일하지만, 진폭은 다른 것이 보통이다. 또한 안진은 신속보기 운동이나 눈깜빡임시 일시적으로 억제되기도 한다.

선천 시계추안진은 주로 수평방향으로 발생하고, 망막중심오목주시시간foveation period이 존재하여 진동시와 같은 시각불편감이 동반되지 않는다. 후천 시계추안진은 크게 탈수초질환demyelinating disease과 안구입천장떨림oculopalatal tremor에서 관찰된다.[1,11,12]

① 탈수초질환에서의 시계추안진

다발경화증이나 펠리체우스–메르츠바허병Pelizaeus-Merzbacher disease, 톨루엔 남용toluene abuse 등에서 중추신경계의 탈수초로 인해 시계추안진이 발생할 수 있다.[1] 안진은 대개 3–4 Hz의 일정한 진동수를 보이지만, 8 Hz 이상의 고주파로 발생하기도 하며, 이런 경우 신속보기진동saccadic oscillation과 감별이 어려울 수 있다(그림 4-7, 동영상 4-3).[12,13] 흔히 안진의 방향이 양안에서 비동향성disconjugate으로 관찰되며, 한 눈에서만 안진이 나타날 수도 있다.[14] 신속보기나 눈깜빡임, 두개골의 진동자극에 의해 안진이 일시적으로 억제되기도 한다(표 4-3).[11-14]

그림 4-7. 탈수초질환에서의 시계추안진

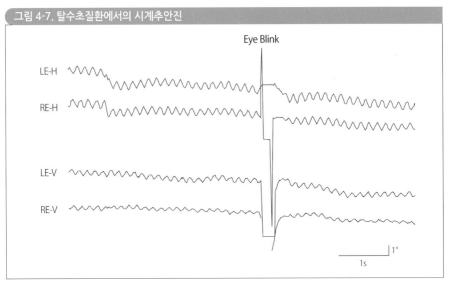

안진의 진동수는 6 Hz로 비교적 고주파수로 관찰되며, 방향은 양안에서 180° 위상 차이를 보여 비동향성(dis-conjugate)으로 관찰된다(동영상4-3). LE-H, 좌안 수평안위; RE-H, 우안 수평안위; LE-V, 좌안 수직안위; RE-V, 우안 수직안위

동영상 4-3. 시계추눈떨림

표 4-3. 탈수초질환과 안구입천장떨림에서 시계추안진의 특징 비교

특징	탈수초질환	안구입천장떨림
원인	다발경화증 펠리체우스-메르츠바허병 코카인증후군 톨루엔 남용	뇌간 또는 소뇌 뇌졸중 이후 연수의 올리브핵 비후
진동수	규칙적, 2-8 Hz	불규칙적, 1-3 Hz
방향	수평, 수직, 회선 방향 모두 포함 대개 양안에서 비동향성	주로 수직, 회선 방향 양안에서 동향성 또는 비동향성
안진의 억제	신속보기, 눈깜빡임, 두개골의 진동 자극	수면
동반증상	핵간안근마비	입천장떨림, 핵간안근마비, 수평주시마비

다발경화증 환자들의 경우 시신경의 탈수초가 흔히 동반되기 때문에, 이로 인한 시각정보의 전달 지연이 안진의 발생 기전으로 제시되고 있다.[1,11,12,14] 하지만 시각정보가 차단된 어두운 곳에서도 안진의 변화가 없는 경우가 많고, 인위적으로 시각정보의 전달을 지연시킬 경우 2 Hz 이하의 저주파성 안진이 관찰되었던 점으로 미루어 볼 때, 시각정보의 전달 지연만으로는 안진의 발생을 설명할 수 없다. 최근에는 신속보기 운동이나 눈깜빡임, 두부충동검사시 안진이 일시적으로 억제되고 이후 위상phase의 변화가 있는 점으로 미루어 볼 때 시선유지에 관여하는 신경적분체의 불안정성이 안진의 발생에 관여하는 것으로 제시되고 있다.[1,11-13] 실제로 다발경화증 환자들에서는 신경적분체 역할을 하는 뇌간의 정중곁로paramedian tract 부위에 병터가 자주 관찰된다.[1,11,12]

② 안구입천장떨림에서의 시계추안진

안구입천장떨림oculopalatal tremor은 양안의 시계추안진과 구개근 떨림이 동반되는 현상이다.[1-4] 대개는 뇌간이나 소뇌경색 또는 출혈 이후 수주에서 수개월 정도 경과한 후 발생하며,[15] 알렉산더병Alexander disease과 같은 퇴행성질환에서도 발생한다.[1] 소뇌의 치아핵dentate nucleus과 중뇌의 적색핵red nucleus, 연수의 올리브핵inferior olivary nucleus을 연결하는 Guillain-Mollaret 삼각로의 손상이 안구입천장떨림의 발생기전으로 알려져 있다.[1,11,12] 즉 치아핵이나 위소뇌다리, 교뇌의 중심뒤판로central tegmental tract 등에 병터가 있는 경우, 올리브핵에 전달되는 소뇌 치아핵의 억제성 신호가 차단되어 올리브핵에 비후성 퇴행이 발생한다(그림 4-8). 이로 인해 올리브핵의 신경세포체 간에 전기적 동조electronic coupling와 규칙적인 동요가 발생하고, 이 신호에 대한 소뇌의 부적응으로 안구입천장떨림이 유발된다.[16]

안구입천장떨림에서 시계추안진은 탈수초질환에서보다 작은 진동수(1-3 Hz, 대개 2 Hz)를 보이며, 훨씬 불규칙적으로 관찰된다(그림 4-8, 동영상 4-4).[11,12,15] 주로 수직과 회선방향의 시계추안진이 관찰되며, 뇌간 병변으로 인해 핵간안근마비나 수평주시마비, 동안 신경마비 등을 흔히 동반한다(표 4-3).

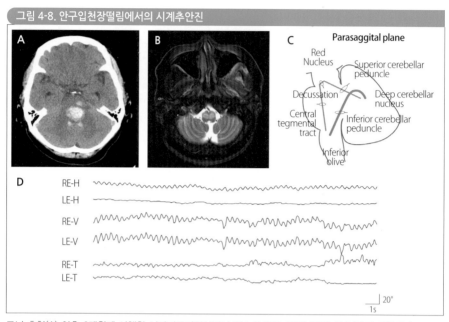

그림 4-8. 안구입천장떨림에서의 시계추안진

교뇌 출혈(A) 이후 6개월째 시행한 뇌자기공명영상에서 연수의 양측 올리브핵에 비후(B)가 관찰된다. Guil-lain-Mollaret삼각로(C)의 손상으로 인해 양안에서 3Hz의 시계추안진(D)이 비교적 큰 진폭으로 관찰된다(동영상 4-2-3). RE-H, 우안 수평안위; LE-H, 좌안 수평안위; RE-V, 우안 수직안위; LE-V, 좌안 수직안위; RE-T, 우안 회선안위; LE-T, 좌안 회선안위

동영상 4-4. 안구입천장떨림

(5) 주기교대안진periodic alternating nystagmus

제일안위에서 한 방향으로의 수평안진이 1–2분 정도 지속되다가 점차 약해지면서 사라지고, 0–10초 동안의 휴지기 후에 반대 방향으로 안진이 발생하여 같은 기간 동안 지속되며, 이러한 양상이 반복될 때 주기교대안진이라고 한다(그림 4-9).[1-4] 주로 소뇌결절nodulus과 목젖uvula 부위의 병변에서 관찰된다.[17,18] 이 병변에서는 머리 회전에 의해 유발된 안진이 과도하게 연장되고(속도저장기전의 항진), 이에 대한 전정신경계의 보상기전으로 안진의 방향이 역전되어 발생하는 것으로 생각한다.

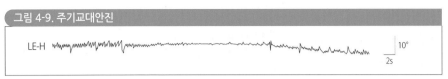

좌측으로 향하는 수평안진이 1-2분 정도 지속되다가 점차 약해지면서 사라지고, 5초 정도의 휴지기 이후 우측으로 향하는 안진이 발생한다. LE-H, 좌안 수평안위

2. 주시유발안진gaze-evoked nystagmus

(1) 정의

눈의 위치가 제일안위를 벗어나 어느 한쪽을 바라볼 때 생기는 안진이다(그림 4-10).[1-4]

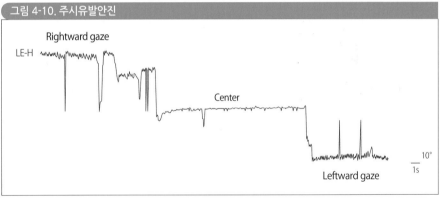

제일안위(center)에서는 안진이 없지만, 우측으로 주시할 때 우측 방향의 안진이, 좌측으로 주시할 때는 좌측 방향의 안진이 관찰된다. LE-H, 좌안 수평안위

(2) 발병기전 및 원인

눈이 지속적으로 한쪽으로 치우쳐 있기 위해서는 눈을 원래 위치로 되돌리려는 눈 주위 조직의 탄력에 대항할 수 있는 외안근의 지속적인 수축이 필요하다. 이를 위해서는 지속적인 신경의 흥분이 필요하며, 이 역할을 담당하는 구조물을 신경 적분체라고 한다.[1,19] 신경적분체는 전정안구반사, 신속운동 및 추종운동에서 눈의 이동속도에 대한 명령을 눈의 위치에 대한 정보로 전환해 외안근의 수축을 유

지한다. 따라서 신경적분체의 기능이 떨어지면 한쪽 주시 시 눈이 원하는 위치에 머물러 있지 못하고 중앙으로 흐르며, 이를 보상하기 위한 신속운동(안진의 고속기)이 발생한다.

수평방향의 안구운동에서는 연수에 위치한 전설하핵nucleus prepositus hypoglossi, 내측전정신경핵medial vestibular nucleus 및 소뇌 타래가 신경적분체 역할을 하며, 수직 및 회선 안구운동에서는 카할간질핵이 관여한다.[1,19] 따라서 이러한 부위의 병변 시 수평 혹은 수직 주시유발안진이 관찰된다.[19-21] 또한 주시유발안진의 가장 흔한 원인은 약물(항경련제, 진정제, 알코올 등)이기 때문에 약물 복용 여부를 반드시 확인하여야 한다.[1,22]

(3) 주시유발안진의 특수한 형태

① 브룬스안진Bruns nystagmus

소뇌교뇌각cerebellopontine angle 병변에서 특징적으로 관찰되는 주시유발안진의 한 형태로, 병변 쪽을 바라볼 때는 비교적 진폭이 큰 소뇌성안진이, 병변 반대쪽을 볼 때는 작은 진폭의 전정안진이 관찰된다.[1-4] 소뇌성안진은 소뇌 타래나 뇌간의 압박으로 인한 주시유발안진이며, 반대편 주시에서 보이는 전정안진은 말초전정계의 병변 때문이다. 주로 소뇌교뇌각을 침범하는 종양에서 관찰되지만, 뇌간경색에서도 발생할 수 있다.[1]

② 구심안진centripetal nystagmus과 반동안진rebound nystagmus

어느 한쪽을 20초 이상 지속적으로 주시할 때 주시유발안진의 정도가 서서히 감소하다가 안진의 방향이 반대로 바뀌어 중앙을 향하기도 하는데 이를 구심안진이라고 한다.[1,23] 또한 한쪽을 주시하다 정면을 바라보게 할 때 이전 주시방향의 반대 방향으로 안진이 일시적으로 발생하는데 이를 반동안진이라고 한다(그림 4-11).[1,24] 구심안진이나 반동안진은 소뇌 특히 타래 병변에서 주로 관찰되며, 주시유발안진을 교정하기 위한 뇌간이나 소뇌의 보상작용으로 발생하는 것으로 설명하고 있다.[1,24]

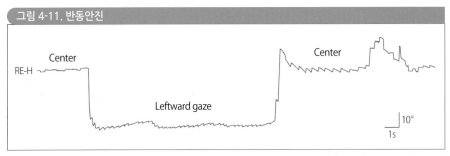

그림 4-11. 반동안진

좌측을 주시할 때 좌측으로 향하는 주시유발안진이 관찰되다가 정면을 바라보면 우측으로 향하는 반동안진이 관찰된다. RE-H, 우안 수평안위

2. 속진 saccadic intrusion

1) 서론

안구운동의 궁극적인 목적은 선명한 시력을 유지하기 위해 보고자 하는 물체의 상을 망막의 중심오목에 맺도록 하는 데 있다. 안구운동계에 이상이 생기면 안구는 원하는 위치에 머물러 있지 못하고 물체의 상이 중심오목으로부터 벗어나게 되므로 이를 교정하기 위한 안구운동이 발생한다. 이때 주시점으로부터 벗어나는 안구운동이 느린안구운동이면 안진nystagmus, 신속운동saccade이면 속진saccadic intrusion and oscillation으로 분류한다.[1-4] 속진의 경우 비정상적인 신속운동이 단속적으로 발생할 경우 신속운동침입saccadic intrusion, 연속적으로 반복해서 발생할 경우 신속운동진동saccadic oscillation이라고 한다.

2) 속진의 종류

속진은 주시점으로 벗어나는 신속운동과 교정하는 신속운동 사이의 시간적 간격, 즉 신속운동사이간격intersaccadic interval의 유무에 따라 분류할 수 있다.[1] 즉 사각파된떨림square-wave jerk, 큰사각파된떨림macrosquare-wave jerks, 큰신속운동진동macrosaccadic oscillations은 신속운동사이간격이 존재하는 반면, 신속운동파saccadic pulse나 안구조동ocular flutter, 눈간대경련opsoclonus는 사이간격이 없다(그림 4-12).

> **그림 4-12. 속진의 종류**

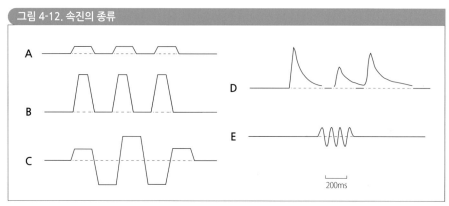

A. 사각파된떨림(square-wave jerk) B. 큰사각파된떨림(macrosquare-wave jerks) C. 큰신속운동진동 (macrosaccadic oscillations) D. 신속운동파(saccadic pulse) E. 안구조동(ocular flutter)

(1) 사각파된떨림 square-wave jerk

단속적으로 발생하는 수평방향의 동향conjugate 신속운동으로, 양안이 주시점으로 부터 벗어났다가 약 200 ms 간격을 두고 다시 주시점으로 돌아오는 안구운동이다. 진폭은 보통 0.5-5°이나 10°에 이르는 경우도 있다. 정상인에서도 관찰되나 대부분 분당 10회 미만, 진폭은 2°미만으로 관찰된다. 사각파된떨림은 특별히 국소화 가치는 없으나 대뇌나 소뇌질환, 파킨슨병, 진행핵상마비 등에서 주로 관찰되며, 뇌기능 장애를 나타내는 예민한 지표이다.[25,26] 발생 기전으로는 미세신속운동이 주기적으로 커져 발생한다는 설과 핵상 신호가 일시정지세포pause cell의 활동도를 방해하여 발생한다는 설이 있다.[27]

(2) 큰사각파된떨림 macrosquare-wave jerk

사각파된떨림과 비슷한 형태의 안구운동이나 대개 진폭이 더 크며(5-30°), 신속운동사이간격이 50-150 ms로 더 짧다. 다발경화증 환자에서 보고되고 있으며, 소뇌나 위소뇌다리brachium conjunctivum 등의 다양한 병터에서 발생한다.[28] 큰사각파된떨림에서 신속운동사이간격이 80 ms 정도라는 점은 시각정보와 상관없는 반사성 신속운동non-visually guided reflex saccade에 의해 원래의 위치로 되돌아옴을 시사한다.

(3) 큰신속운동진동macrosaccadic oscillations

주시점을 지나치는 불수의적 신속운동이 좌우로 연속해서 발생하는 경우로, 각 신속운동사이간격은 200 ms 정도이다. 진폭은 점차 증가했다가 다시 감소하는 양상crescendo-decrescendo pattern을 띠어 일련의 신속운동들이 방추spindle 모양을 형성하며, 최대 진폭은 40°에 이른다. 주시나 신속운동, 추종운동 등에 의해 유발되고 사각파된떨림과는 다르게 시각계의 되먹이기에 영향을 받아 깜깜한 곳에서는 사라지는 특징을 보인다.[29] 정상적인 시력을 방해하여 환자는 독서나 TV 시청에 어려움을 호소한다. 등쪽소뇌dorsal cerebellum내 심부소뇌핵을 침범할 때 발생하며, 대사성 뇌증이나 교뇌이상에서도 보고되고 있다.[30,31]

(4) 신속운동파saccadic pulse

주시점에서 신속운동으로 눈이 편위된 후 미끄러져glissadic drift 다시 주시점으로 돌아오는 안구운동이다. 앞서 설명하였던 사각파된떨림이나 큰신속운동진동과는 달리 신속운동사이간격이 없다. 주시점으로부터 벗어난 후 발생하는 glissadic drift 는 신속운동파가 만들어질 때 step명령이 생기지 않기 때문이며, 이는 신경적분체의 문제를 시사한다. 대표적인 경우가 눈찌운동ocular bobbing으로, 눈이 수 mm 정도 빠르게 아래로 움직였다가 다시 원래의 위치로 서서히 되돌아오는 안구운동이다. 교뇌에 광범위한 손상을 입은 혼수 환자나 교뇌압박, 폐쇄성 수두증, 대사성 뇌증, 뇌염 등에서 관찰된다. 반면에 주시점으로 돌아오는 glissadic drift가 신속운동으로 발생할 경우, 두 개의 신속안구운동이 간격 없이 맞닿은 모양으로 관찰되는데 이를 이중신속운동파double saccadic pulse라고 한다.[32]

(5) 안구조동/눈간대경련opsoclonus/ocular flutter

신속운동사이간격 없이 일련의 신속운동들이 수평 평면에서만 지속적으로 발생하는 경우 안구조동ocular flutter이라 하며, 수평, 수직, 회선 성분이 모두 보이는 경우를 눈간대경련opsoclonus이라고 한다. 서로 단독으로 발생할 수 있지만 동반되는 경우가 많으며, 눈간대경련이 호전되면서 안구조동으로 바뀌는 경우도 있다. 각 신속운동의 진폭 및 빈도는 불규칙하나 12-15 Hz 정도로 높은 빈도로 나타난다.

주시이나 추종운동, 신속운동 등에 의해 유발되고 놀라거나 자극을 받았을 때 심해지기도 한다. 원인질환은 다양하나 뇌간뇌염이나 종양에 수반한 신생물딸림증후군paraneoplastic syndrome이 흔하며, 그 밖에 약물이나 대사성 요인에 의해서도 발생할 수 있다(표 4-4).[1]

표 4-4. 안구조동/눈간대경련 원인
부감염성 뇌간뇌염(parainfectious encephalitis)
신생물딸림증후군(paraneoplastic syndrome)
수막염(meningitis)
두개내종양(intracranial tumors)
수두증(hydrocephalus)
시상출혈(thalamic hemorrhage)
다발경화증(multiple sclerosis)
약제 부작용 – lithium, amitriptyline, cocaine
독소 – chlordecone, thallium, strychnine, toluene, organophosphates

3. 속진의 병태생리
속진은 주시점으로 벗어나는 운동이 신속운동이기 때문에 신속운동계의 이상으로 속진이 발생한다. 하지만 여러 동물실험으로 미루어 볼 때 신속운동사이간격이 있는 사각파된떨림이나 큰신속운동진동은 신속운동사이간격이 없는 안구조동/눈간대경련과는 그 발생 기전이 다른 것으로 알려져 있다.

(1) 신속운동사이간격을 동반한 속진(사각파된떨림, 큰신속운동진동)
신속운동계를 조절하는 구조물 중 가장 중요한 역할을 하는 것이 상구superior colliculus이다. 이 중 꼬리측caudal portion은 돌발파세포burst neuron를 흥분시켜 신속운동의 개시에 관여하는 반면, 입측rostral portion은 일시정지세포를 흥분시켜 주시가 필요한 경우 신속운동이 발생하지 못하도록 한다. 동물모델에서 주시에 관여하는 상구의 입측을 파괴하였을 때 신속운동사이간격을 동반한 사각파된떨림이나 큰신속운동진동이 유발되었지만, 안구조동과 눈간대경련은 발생하지 않았다.[33-35] 또한 신속운동의 정확성에 관여하는 소뇌의 꼭지핵fastigial nucleus을 파괴하였을 때에도 비슷한 결과를 보였다.[36] 사람에서도 꼭지핵을 포함한 소뇌병변이나 상구에서 일시정지세포로 향하는 신경다발이 위치한 교뇌 병변에서 큰신속운동진동이 보고되었다.[37,38] 따라서 큰신속운동진동은 상구나 소뇌병변으로 인해 일시정지세포의 기능에 이상이 생김으로써 신속운동계의 돌발파세포가 무분별하게 흥분되어 발생하는 것으로 설명할 수 있다.[39]

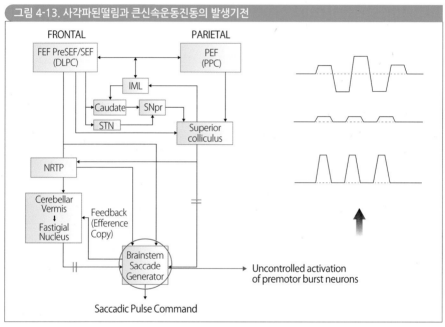

그림 4-13. 사각파된떨림과 큰신속운동진동의 발생기전

상구(superior colliculus)와 소뇌 꼭지핵(fastigial nucleus)의 병변으로 인해 신속운동계의 돌발파세포(burst neuron)가 무분별하게 흥분되어 사각파된떨림이나 큰신속운동진동이 발생한다((DLPC; dorsolateral prefrontal cortex, FEF; frontal eye fields, PEF; parietal eye fields, PPC; posterior parietal cortex, IML; intermedullary laminar, STN; subthalamic nucleus, NRTP; nucleus reticularis tegmental pontis).

(2) 신속보기사이간격을 동반하지 않는 속진(안구조동/눈간대경련)

큰신속운동진동과는 달리 안구조동과 눈간대경련은 동물모델이 없기 때문에 정확한 병인을 알 수 없다. 과거에는 돌발파세포를 억제하는 일시정지세포의 이상으로 발생한다고 주장하였지만, 안구조동이나 눈간대경련을 보인 환자의 부검 결과 일시정지세포는 정상이었다.[40] 또한 약제를 이용해 일시정지세포를 억제시킬 경우 속진이 발생하기보다는 신속운동의 속도가 느려지는 현상이 관찰되었다.[41] 따라서 최근에는 흥분성 및 억제성 돌발파세포 간의 시냅스 연접의 변화로 발생한다는 가설이 제기되고 있지만 이에 대해서는 더 많은 연구가 필요하다.[1,42]

4) 속진의 치료

속진은 안진처럼 진동시를 유발하지 않기 때문에 대개는 치료가 필요하지 않다. 하지만 큰신속운동진동이나 눈간대경련 등은 책읽기 장애나 진동시를 유발할 수 있기 때문에 치료가 필요하다. 대개 돌발파세포나 일시정지세포의 신경전달물질들인 glutamate, aspartate, glycine, GABA 등에 작용하는 diazepam, clonazepam, gabapentin, memantine 등을 투여해 볼 수 있다.[1] 안구조동이나 눈간대경련이 있는 환자들은 종양이나 뇌간뇌염과 같은 원인질환의 치료가 우선 시행되어야 하고, 신경관종양neural crest tumor에서 눈간대경련이 동반된 어린이의 경우에는 스테로이드나 ACTH가 눈간대경련 조절에 도움이 될 수 있다.

[참고문헌]

1. Leigh RJ, Zee DS. The Neurology of Eye movements. 5th edition. New York, NY: Oxford University Press, 2015.
2. 김지수, 황정민 외. 문답으로 풀어가는 신경안과 진료. E-public, 2010.
3. 대한안신경의학회. 안신경학. 신흥메드싸이언스, 2013.
4. 대한평형의학회. 임상평형의학 제 2판. 범문에듀케이션, 2017.
5. Pierrot-Deseilligny C, Milea D. Vertical nystagmus: clinical facts and hypotheses. Brain. 2005;128(Pt 6):1237-46.
6. Kim SH, Kim HJ, Oh SW, Kim JS. Visual and Positional Modulation of Pendular Seesaw Nystagmus: Implications for the Mechanism. J Neuroophthalmol. 2019;39(2):181-5.
7. Jeong SH, Hwang JM, Kim JS. Co-occurrence of periodic alternating and pendular seesaw nystagmus in blindness. J Neurol Sci. 2009;285(1-2):257-8.
8. Choi KD, Jung DS, Park KP, Jo JW, Kim JS. Bowtie and upbeat nystagmus evolving into hemi-seesaw nystagmus in medial medullary infarction: possible anatomic mechanisms. Neurology. 2004;62(4):663-5.
9. Jeong SH, Kim EK, Lee J, Choi KD, Kim JS. Patterns of dissociate torsional-vertical nystagmus in internuclear ophthalmoplegia. Ann N Y Acad Sci. 2011;1233:271-8.
10. Lee SU, Kim HJ, Kim JS. Evolution of symmetric upbeat into dissociated torsional-upbeat

nystagmus in internuclear ophthalmoplegia. Clin Neurol Neurosurg. 2013;115(9):1882-4.

11. Kang S, Shaikh AG. Acquired pendular nystagmus. J Neurol Sci. 2017;375:8-17.

12. Tilikete C, Jasse L, Pelisson D, et al. Acquired pendular nystagmus in multiple sclerosis and oculopalatal tremor. Neurology. 2011;76(19):1650-7.

13. Oh EH, Lee JH, Shin JH, et al. Patterns and modulations of Pendular nystagmus in a family with hereditary spastic paraplegia. J Neurol Sci. 2017;383:169-73.

14. Jung I, Kim SH, Kim HJ, Choi JY, Kim JS. Modulation of acquired monocular pendular nystagmus in multiple sclerosis: A modeling approach. Prog Brain Res. 2019;249:227-34.

15. Kim JS, Moon SY, Choi KD, Kim JH, Sharpe JA. Patterns of ocular oscillation in oculopalatal tremor: imaging correlations. Neurology. 2007;68(14): 1128-35.

16. Shaikh AG, Hong S, Liao K, et al. Oculopalatal tremor explained by a model of inferior olivary hypertrophy and cerebellar plasticity. Brain. 2010;133(Pt 3):923-40.

17. Jeong HS, Oh JY, Kim JS, et al. Periodic alternating nystagmus in isolated nodular infarction. Neurology. 2007;68(12):956-7.

18. Oh YM, Choi KD, Oh SY, Kim JS. Periodic alternating nystagmus with circumscribed nodular lesion. Neurology. 2006;67(3):399.

19. Sanchez K, Rowe FJ. Role of neural integrators in oculomotor systems: a systematic narrative literature review. Acta Ophthalmol. 2018;96(2): e111-8.

20. Kim SH, Zee DS, du Lac S, Kim HJ, Kim JS. Nucleus prepositus hypoglossi lesions produce a unique ocular motor syndrome. Neurology. 2016;87(19): 2026-33.

21. Kim HJ, Lee SH, Park JH, Choi JY, Kim JS. Isolated vestibular nuclear infarction: report of two cases and review of the literature. J Neurol. 2014;261(1):121-9.

22. Romano F, Tarnutzer AA, Straumann D, Ramat S, Bertolini G. Gaze-evoked nystagmus induced by alcohol intoxication. J Physiol. 2017;595(6):2161-73.

23. Leech J, Gresty M, Hess K, Rudge P. Gaze failure, drifting eye movements, and centripetal nystagmus in cerebellar disease. Br J Ophthalmol. 1977; 61(12):774-81.

24. Bögli SY, Straumann D, Schuknecht B, Bertolini G, Tarnutzer AA. Cerebellar Rebound Nystagmus Explained as Gaze-Evoked Nystagmus Relative to an Eccentric Set Point: Implications for the Clinical Examination. Cerebellum. 2020 Feb 19.

25. Otero-Millan J, Serra A, Leigh RJ, et al. Distinctive features of saccadic intrusions and microsaccades in progressive supranuclear palsy. J Neurosci. 2011;31(12):4379-87.

26. Rascol O, Sabatini U, Simonetta-Moreau M, et al. Square wave jerks in parkinsonian syndromes. J Neurol Neurosurg Psychiatry. 1991;54(7):599-602.

27. Averbuch-Heller L, Stahl JS, Hlavin ML, Leigh RJ. Square-wave jerks induced by pallidotomy in parkinsonian patients. Neurology. 1999;52(1): 185-8.

28. Dell'Osso LF, Troost BT, Daroff RB. Macro square wave jerks. Neurology. 1975;25(10):975-9.

29. Selhorst JB, Stark L, Ochs AL, Hoyt WF. Disorders in cerebellar ocular motor control. II. Macrosaccadic oscillation. An oculographic, control system and clinico-anatomical analysis. Brain. 1976;99(3):509-22.

30. Sharpe JA, Fletcher WA. Saccadic intrusions and oscillations. Can J Neurol Sci. 1984;11(4):426-33.

31. Averbuch-Heller L, Remler B. Opsoclonus. Semin Neurol. 1996;16(1):21-6.

32. Kim JS, Choi KD, Oh SY, et al. Double saccadic pulses and macrosaccadic oscillations from a focal brainstem lesion. J Neurol Sci. 2007;263(1-2):118-23.

33. Dias EC, Kiesau M, Segraves MA. Acute activation and inactivation of macaque frontal eye

field with GABA-related drugs. J Neurophysiol. 1995; 74(6):2744-8.

34. Munoz DP, Wurtz RH. Fixation cells in monkey superior colliculus. II. Reversible activation and deactivation. J Neurophysiol. 1993;70(2):576-89.

35. Carasig D, Paul K, Fucito M, Ramcharan E, Gnadt JW. Irrepressible saccades from a tectal lesion in a Rhesus monkey. Vision Res. 2006;46(8-9): 1161-9.

36. Robinson FR, Straube A, Fuchs AF. Role of the caudal fastigial nucleus in saccade generation. II. Effects of muscimol inactivation. J Neurophysiol. 1993;70(5):1741-58.

37. Fahey MC, Cremer PD, Aw ST, et al. Vestibular, saccadic and fixation abnormalities in genetically confirmed Friedreich ataxia. Brain. 2008;131 (Pt 4):1035-45.

38. Klotz L, Klockgether T. Multiple system atrophy with macrosquare-wave jerks. Mov Disord. 2005;20(2):253-4.

39. Thier P, Dicke PW, Haas R, Barash S. Encoding of movement time by populations of cerebellar Purkinje cells. Nature. 2000;405(6782):72-6.

40. Ashe J, Hain TC, Zee DS, Schatz NJ. Microsaccadic flutter. Brain. 1991;114 (Pt 1B):461-72.

41. Kaneko CR. Effect of ibotenic acid lesions of the omnipause neurons on saccadic eye movements in rhesus macaques. J Neurophysiol. 1996;75(6):2229-42.

42. Shaikh AG, Ramat S, Optican LM, Miura K, Leigh RJ, Zee DS. Saccadic burst cell membrane dysfunction is responsible for saccadic oscillations. J Neuroophthalmol. 2008;28(4):329-36.

이비인후과 질환의 안진

이호윤

안구운동은 중심오목fovea centralis에 보고자 하는 물체의 상을 위치시키기 위하여 발생한다. 느린 안구 운동으로 시작하여, 반복적인 불수의적인 왕복 운동을 보이게 되는 안진은 내이부터 중추 신경계까지 전정 기능 이상이 있으면 관찰될 수 있다.

1. 말초 전정계 이상에 의한 안진의 특성

주시에 의해 억제된다. 이는 원활추종운동smooth pursuit이 정상이기 때문이다. 밝은 곳에서는 중추 시추적계 활성화에 따른 안진 크기의 감소가 특징적이다. 다만, 고도근시나 당뇨망막병증 등 시력이 나쁜 경우에는 평가가 어려울 수 있다.

일정 방향으로 수평−회선의 혼합 성분의 안진mixed torsional-horizontal이 관찰된다. 알렉산더 법칙에 따라 안진 방향을 주시할 때 안진이 커지고, 안진의 반대 방향을 보면 안진이 줄어들지만, 방향이 바뀌지 않는다. 시간 경과에 따라 안진 크기가 감소한다.

② 세 반고리관 흥분에 따른 안구의 움직임

Push & pull arrangement: 세반고리관은 상반고리관, 수평반고리관, 후반고리관으로 구성되며, 머리의 회전을 감지하는 역할을 하고, 양쪽 내이에 하나씩 있으므로, 총 6개의 반고리관이 세 개의 짝을 이루어 작동하게 된다. 좌측 상반고리관은 우측의 후반고리관과, 양측 수평반고리관은 또 하나의 짝을 이루고, 좌측 후반고리관은 우측의 전반고리관과 또 짝을 이루며, 일측 반고리관이 흥분하면 짝을 이루는 반대편 반고리관은 억제된다.

수평 및 수직 반고리관이 흥분하면, 이에 따른 같은 평면 내 안구 움직임 변화를 유발하는 안구 운동이 일어난다. 이때, 한 눈만 움직이는 것이 아니라, 같은 방향으로 움직이는 동향근yoke muscle에 같은 양의 자극이 주어서 같이 움직이게 된다. 이와 동시에 길항근은 억압된다(표 4-5).

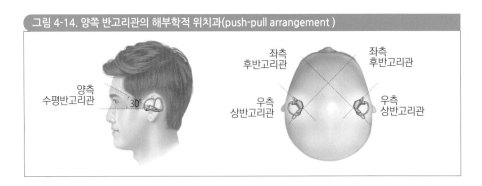

그림 4-14. 양쪽 반고리관의 해부학적 위치과(push-pull arrangement)

표 4-5. 반고리관 흥분에 따른 외안근의 변화

반고리관	흥분되는 외안근	억제되는 외안근
수평반고리관	동측 MR 반대측 LR	동측 LR 반대측 MR
상반고리관	동측 SR 반대측 IO	동측 IR 반대측 SO
후반고리관	동측 SO 반대측 IR	동측 IO 반대측 SR

MR: 내직근, LR: 외직근, SR: 상직근, IR: 하직근, SO: 상사근

반고리관의 위치와 외안근의 작용 방향은 기하학적 유사성이 있다고 알려져 있고
(표 4-6), 반고리관 흥분에 따라 검사자가 관찰할 수 있는 최종 안구의 움직임은 그
림 4-15와 같다.

표 4-6. 느린 성분을 기준으로 한 외안근의 기본 움직임

Muscle	Primary (외전시)	Second (내전시)	Third
MR	안으로 돌림		
LR	밖으로 돌림		
SR	위로 올림	상극이 코쪽 회전	안으로 돌림
IR	아래로 내림	상극이 귀쪽 회전	안으로 돌림
SO	상극이 코쪽으로 회전	밑으로 내림	밖으로 돌림
IO	상극이 귀쪽으로 회전	위로 올림	밖으로 돌림

MR: 내직근, LR: 외직근, SR: 상직근, IR: 하직근, SO: 상사근

그림 4-15. 반고리관 흥분에 따른 검사자가 관찰하는 안구의 움직임

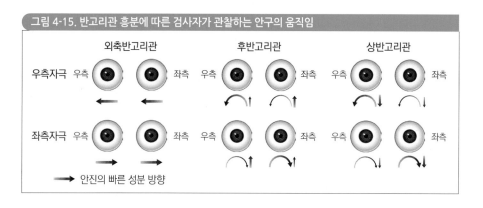

이러한 움직임은 안진의 느린 성분에 기초한 것이므로, 실제 각 반고리관이 흥분
했을 때, 관찰할 수 있는 빠른 성분의 움직임은 다음과 같다. 후반고리관 자극과
상반고리관 자극시, 자극 방향 주시에 따라, 주된 안진이 변하는데, 예를 들어 후
반고리관의 경우, 자극 쪽을 주시하면 회선 성분이 강해지고 자극 반대편을 바라
보면 상방 안진이 강해진다.

③ 전정 불균형을 확인하기 위한 기본 안진 검사

1) 자발 안진

① 발생 기전: 대부분 전정계 불균형에 의해 안구운동신경핵ocular motor nucleus에 도달하는 신호간 불균형에 의해 유발된다.

② 안진의 특징: 기능 저하를 보이는 방향으로, 느린 성분의 안구 운동이 유발되고, 이어 반대 방향으로 빠른 성분의 회선성 수평 안구 운동이 일어난다. 일측 말초 기능 손상 후 회복 중에는 일시적으로 방향이 역전되는 회복 안진recovery nystagmus이 관찰되는데, 이는 전정 기능 손상 후 중추성 보상에 의해 양측 전정 기능간 불균형이 해소된 후, 손상되었던 쪽의 전정 기능이 회복되면서 반대 방향으로 불균형이 다시 유발되어서 발생한다.

③ 관찰 시간: 소뇌결절nodulus이나 타래flocculus 병변에 의한 주기교대안진periodic alternating nystagmus, PAN을 놓치지 않기 위해서는 60-90초 이상 관찰해야 한다.

2) 두위 안진 및 두위 변환 안진

① 목적: 머리의 위치 변화에 따라서 어지럼증이 유발되는지 확인하기 위한 검사

② 두위 안진Positional nystagmus: Frenzel 안경 착용 후 좌위sitting position, 앙와위supine position, 우이하방위, 좌이하방위에서 안진의 유도 여부를 확인한다.

(1) 두위 변환 안진Positioning test

① Dix-hallpike 검사

- 후반고리관 양성 돌발체위현훈 진단을 위한 검사
- 검사 방법: 앉은 자세에서 머리를 좌측이나 우측으로 45° 돌리고, 뒤로 눕혀 현수 두위를 유지하며 안진을 관찰하고, 다시 앉은 상태로 돌아올 때의 안진을 검사함.

그림 4-16. 우측 Dix-hallpike 검사를 시행하는 모습

② Stenger 검사

• 앉은 자세에서 중앙현수두위로 상체를 눕힐 때 발생하는 안진과 현수두위에서 다시 좌우로 일어날 때 발생하는 안진을 관찰함.

③ 누워머리돌리기 검사Supine head roll test

• 가쪽반고리관 양성돌발체위현훈 진단을 위한 유발 검사

• 검사 방법: 누워서 앙와위로 눕힌 후, 머리를 30° 전굴시킨 뒤, 머리를 90° 좌측 또는 우측으로 돌려서, 최소 30초 이상 어지럼증 및 안진이 관찰되는지 확인한다.

• 이상소견: 향지성geotropic 또는 원지성apogeotropic 수평 안진

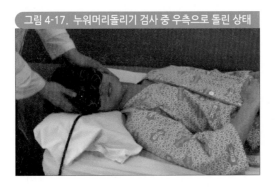

그림 4-17. 누워머리돌리기 검사 중 우측으로 돌린 상태

④ Bow & Lean 검사

- 가쪽반고리관 양성돌발체위현훈 진단 시 보조적으로 이용되는 유발 검사
- 검사 방법: 머리를 앞으로 90° 이상 숙이거나head bending or bowing, 뒤로 45° 젖혀서head leaning 안진의 변화를 관찰한다.

3) 두부 충동 검사head impulse test

(1) 전정안반사vestibulo-ocular reflex, VOR를 평가하기 위한 가장 검사법 중 하나

① 전정안반사VOR란? 머리가 움직이는 동안 머리 회전 속도와 동일하게 반대 방향으로 안구를 움직여 물체의 상을 망막에 일정하게 유지하여 선명한 시각을 유지시켜 주는 반사

② 경로: 머리가 움직이게 되면 전정 기관의 말초 수용기에서 머리 각속도의 정보를 받아서 전정신경절scarpa's ganglion, 전정신경핵vestibular nucleus을 거쳐 외향신경핵abducens nucleus 또는 동안신경핵oculomotor nucleus으로 전달되며, 최종적으로 외안근으로 가는 세신경원궁three neuron arc을 통해 안구의 움직임이 발생한다.

③ 잠복기가 약 8 msec 이내로 신체 내 가장 빠른 반사 중 하나임. 참고: 추종운동smooth pursuit, 신속안구운동saccadic movement, 시운동계optokinetic system과 같은 안구운동의 잠복기는 70-100 msec

(2) 방법: 환자를 마주보고, 검사자의 코를 보게 한 뒤 환자의 머리를 양손으로 잡고 고개를 한쪽 방향으로, 신속하게 10-20° 돌린다.

(3) 이상 소견: 일측 전정 기능 이상 시, 눈이 머리 움직임을 따라 회전 후 돌아오는 신속 안구 운동이 발생하게 됨.

(4) 단점: 정량적 측정이 어렵고, 은폐성 단속운동covert saccade을 측정할 수 없음.

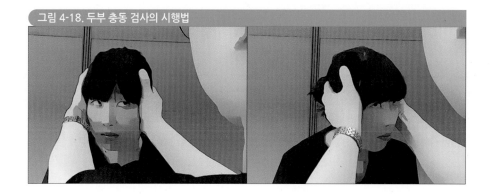

그림 4-18. 두부 충동 검사의 시행법

4) 두진후안진head shaking nystagmus

(1) 발생기전: 동적전정기능의 불균형을 검사하며, 2 Hz 자극에 대한 전정 기능을 평가할 수 있다.

(2) 관찰되는 질환: 전정신경염, 메니에르병, 양성돌발체위현훈 및 소뇌 병변 등 전정계 이상에서는 흔하게 관찰된다.

(3) 검사방법: Frenzel 안경을 씌우고, 좌우 수평방향으로 2 Hz의 속도로 좌우로 10−20회 머리를 세게 흔들다가 멈춘 뒤의 안진을 관찰함.

(4) 일측성전정기능병증에서는 보통 정상측을 향하는 강한 단상성 안진이 관찰되지만, 일부에서는 정상측을 향하는 강한 안진이 나타나고 이후 말초 전정 기능 회복 이후에도 지속되는 중추성 보상 작용에 따라 반대편으로 향하는 역상기reversal phase 안진이 관찰되기도 함.

5) 진동유발안진vibration induced nystagmus

(1) 검사방법: 앉은 자세로 주시를 억제한 상태에서 양측 유양돌기나 흉쇄유돌근에 10초 정도 60−100 Hz의 진동 자극을 주면서 안진을 관찰한다.

(2) 장점: 노인이나 경추 문제가 있어도 적용할 수 있다.

(3) 관찰되는 안진의 특징: 진동 자극과 동시에 안진이 발생하며, 진동 자극 종료 후 안진이 소실됨.

- 전정병증이 없는 정상인에서도 최대 81%까지 관찰되는데, 경부 근육 내 고유 감각기 자극에 의해 발생하는 것으로 추정되며 대부분 진동 자극 방향을 향하는 작은 진폭의 느린 안구성분이 관찰됨.
- 일측성 전정병증이 있을 때에는 자극 방향과 무관하게 병변 반대측을 향하는 안진이 관찰된다. 이러한 이유는 진동 자극이 양측 반고리관의 전정수용기를 자극하게 되면, 말단 전정수용기의 비대칭성에 의해 병적 안진이 관찰되는 것으로 추정됨.

6) 과호흡유발안진

(1) 비디오고글을 착용 후 1 Hz의 빈도로 30–90초의 과호흡 이후에 관찰되는 안진으로 전정신경의 탈수초성 병변에 의해 발생

(2) 특징: 청신경종양의 50%에서 과호흡 후 병측으로 향하는 수평안진이 관찰될 수 있음.

7) 누공검사

(1) 이주 압박, pneumatic otoscope, Politzer bag 등을 이용하여 외이도를 통해 중이에 압력을 가할 때 특징적 안진 또는 어지럼증 관찰 여부를 확인하는 검사양성: 외림프누공, 미로누공, 매독성 미로 병변, 상반고리관피열증후군

(2) 검사 방법: 비디오고글 착용 후 외이도에 양압 및 음압을 일정시간 줄 때 나타나는 안진의 양상과 어지럼의 양상을 양쪽 모두 기록함.

④ 전정 불균형 확인을 위한 검사실 안진 검사

1) 온도 안진 검사Caloric test

(1) 냉온교대온도안진검사의 경우 찬물(30℃)과 따뜻한 물(44℃)을 외이도에 넣어 온도차를 이용하여 수평반고리관을 자극하는 검사로, 0.002-0.004 Hz에 해당하는 비생리적인 자극이며 임상 증상과 항상 일치하지 않는 한계점은 있으나, 병변의 정도와 위치 파악이 가능하다는 장점이 있음. 최근에는 검사 시 불편감이 낮은 24℃와 50℃의 공기 8리터를 이용한 검사air caloric test로 대체되는 추세임.

(2) 기전: 대류 현상과 온도 자극에 의한 직접 자극

(3) 방법: 환자를 앙와위로 눕히고 베개를 이용하여 머리를 30도 거상시킨 뒤, 암시야 상태에서 비디오 안진 고글을 착용하고 양쪽 귀를 우측 따뜻한 물 자극, 우측 찬물 자극, 좌측 따뜻한 물 자극, 좌측 찬물을 이용하여 각각 자극함. 이때, 각 조건마다 가장 큰 안진을 보이는 완서상 속도를 구하여 얻어진 4개의 값을 이용해 반고리관마비값canal paresis, CP과 방향우세성direction preponderance, DP을 측정함.

- 반고리관 마비canal paresis, CP의 계산 공식 [(Lt warm + Lt cool) − Rt warm + Rt cool)]/Lt warm + Lt cool + Rt warm + Rt cool)
- CP 정상치: 20-30%으로, 기준값 이상이면, 일측성 기능 저하를 시사함. 이때, 일측 기능 저하 외에 반대쪽 반응의 항진일 수 있으므로 안진의 최대 느린 성분 속도를 확인해야 하며, 40-80°/sec 이상인 경우에 이러한 가능성을 고려한다. 양측 전정 기능 저하의 경우, 최대 느린 성분 속도의 합이 12°/sec인 경우 판정하며 얼음물 온도안진검사와 회전의자검사를 같이 시행하여 최종 확인하게 된다.
- DP: 안진의 방향이 주로 어느 방향을 향하는지에 대한 결과로 30-40%보다 작을 때 정상으로 판정함.
- DP = [(Lt warm + Rt cool) − (Rt warm +Lt cool)]/(Lt warm + Lt cool + Rt warm + Rt cool)

• 주시 억제Fixation suppression: 검사 도중 한점을 주시하게 하거나 밝게 하면 암시
  야에서 관찰되던 안진이 줄어드는 현상으로, 주시 직후에 측정된 안진의 크기
  를 주시 직전에 측정된 안진의 크기로 나누어 50-60% 이하로 감소하는 소견
  이 관찰되는 경우 말초성 안진에 해당함. 만약 억제되지 않으면 중추성 안진일
  가능성이 있음.

그림 4-19. 온도안진검사 기록지의 예

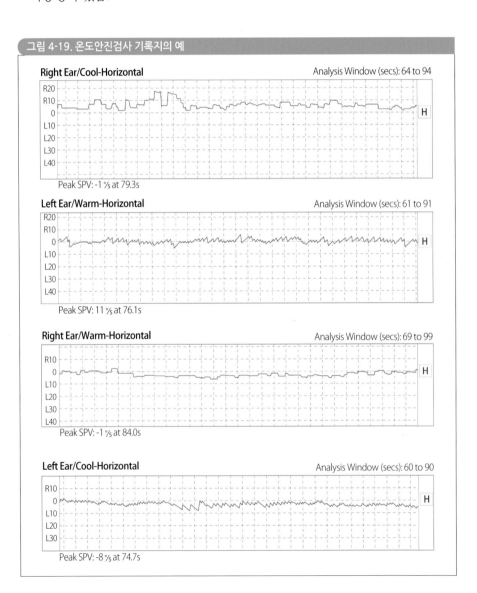

그림 4-20. 온도안진검사 중 Caloric pod

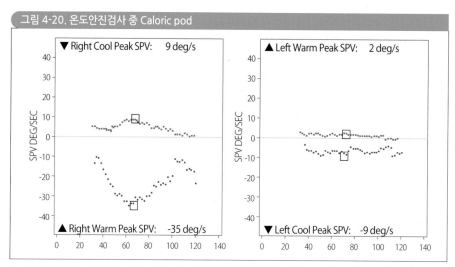

시간 흐름에 따른 느린 성분 속도의 그림으로, 유발된 안진의 양상을 확인할 수 있음. 위쪽 그림은 좌측 안진을 발생시키는 우측 찬물 자극, 좌측 따뜻한 물 자극에 의한 결과이고, 아래쪽은 우측 안진을 발생시키는 우측 따뜻한 물 자극, 좌측 찬물 자극에 의한 결과이다.

그림 4-21. Butterfly chart

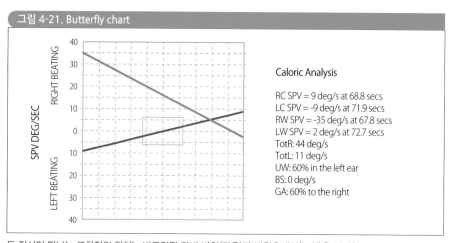

두 직선이 만나는 교차점의 위치는 반고리관 마비 방향(좌우)과 방향우세성(높이)을 의미함

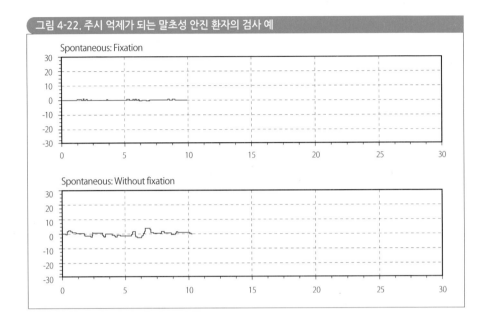

그림 4-22. 주시 억제가 되는 말초성 안진 환자의 검사 예

2) 회전 의자 검사Rotational chair test

(1) 검사의 특징: 환자를 의자에 앉히고 0.01−0.64 Hz 사이의 다양한 회전 주파수와 진폭의 자극을 주면서 양측 전정 기능을 동시에 평가하는 검사임. 양측성 전정 기능 장애 진단에 효과적이며, 단점으로는 일측성 전정 기능 장애 진단시 국소화가 어려움.

(2) 원리: 각 주파수 대역에서 교대로 회전시켜, 의자 회전 속도와 느린 안구운동 성분과의 관계를 측정함.

(3) 검사법: 정현파 회전 검사sinusoidal harmonic acceleration와 등속 회전 검사step velocity test)로 구성됨.

① 정현파 회전 검사의 세 지표: 이득, 대칭성, 위상차
• 이득gain: 회전 의자 속도와 유발된 안진 속도의 비율

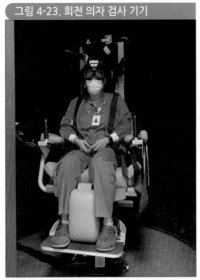

그림 4-23. 회전 의자 검사 기기

암시야를 위한 원통형 박스 내에 회전 의자 기기가 설치되어 있음.

그림 4-24. 정현파 회전 검사 결과 기록지 예

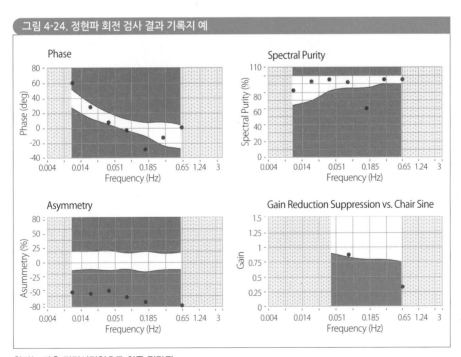

환자는 좌측 전정신경염으로 최종 진단됨

- 대칭성asymmetry: 안진의 방향 비교
- 위상차phase lead: 회전의자의 최고속도점과 유발안진속도의 최고속도점의 시간 차이

② 등속 회전 검사: 병측 전정 신경핵의 감수성 변화와 속도 저장계 기능 소실로 인해 병측 회전 자극시 초기 이득과 시간 상수 감소되는지 여부를 관찰함.

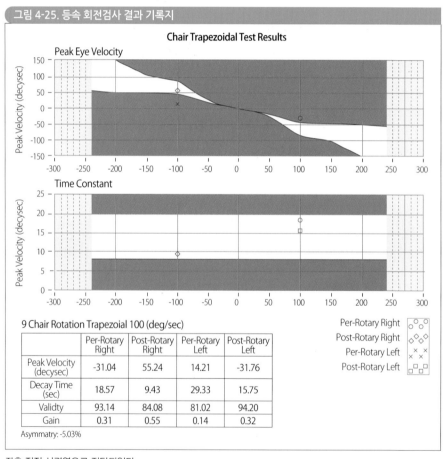

그림 4-25. 등속 회전검사 결과 기록지

좌측 전정 신경염으로 진단되었다.

3) 비디오 두부 충동 검사 video head impulse test, vHIT

(1) 측정방법

벽에 고정된 목표물을 주시하면서, 수평반고리관 및 수직반고리관의 기능을 평가하기 위해 150°–250°/sec의 속도로 머리 회전을 시켜서 평가함.

(2) 장점

① 6개의 반고리관 각각 기능의 정량화가 가능하다.

② Covert saccade의 정량적 기록이 가능함.

③ 검사가 간편하며 보다 생리적임.

④ 전정신경염 및 상, 하 전정신경염 구별이 용이함.

⑤ 중추성 질환의 감별에 이용 가능: 자발 안진을 동반하면서 교정성 단속 운동 질환이 관찰되지 않으면 중추성 질환을 시사하며, 이러한 경우 감별에 있어서 민감도, 특이도가 일반적인 HIT에 비해 높다.

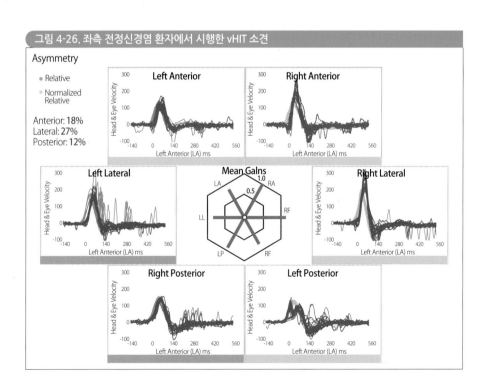

그림 4-26. 좌측 전정신경염 환자에서 시행한 vHIT 소견

(3) 결과 해석 지표

① 이득gain: 머리 움직임 강도와 안구 움직임 강도의 비율

- 정상 범위: 장비마다 다르나 수평반고리관 이득은 통상 0.8 이하를 전정장애로 판정함.

② 교정단속운동corrective saccade

- 머리 움직임으로 인해 안구가 목표물을 놓쳤을 때 이를 다시 따라잡기 위해 나타나는 안구 운동
- 정상인에서도 나타날 수 있으며, 자발안진, 눈깜빡임에 의해 혼동될 수 있음.
- Overt saccade: 머리 움직임이 멈춘 후 발생하며 육안 관찰이 가능함.
- Covert saccade: 머리 회전 시 나타나 관찰이 어렵다.

5 대표적 이비인후과적 질환의 안진 소견

1) 급성 일측성 말초전정병증acute unilateral peripheral vestibulopathy, AUPV

전정 신경 또는 말초 전정 기관의 문제로 인해 급성으로 발생하는 어지럼의 원인이 되는 병변을 총칭하며, 자발 안진과 구역/구토 등의 자율신경계 증상을 동반한다. 대표적으로 전정신경염, 미로염, 람세이 헌트 증후군이 있다.

(1) 전정 신경염

① 자발 안진: 급성기에는 건측방향으로의 수평 회전성 자발 안진을 보임.

- 주시fixation suppression에 의한 안진 억제
- 알렉산더법칙을 따름. 빠른 성분 주시 시 안진의 강도가 커지고, 반대측을 볼 때 안진의 강도가 줄어든다.
- 급성기가 지나면, 자발 안진은 소실됨.
- 두진후안진: 단상성 또는 이상성 안진을 보이는데, 75%에서 이상성이 관찰된다. 초기 20초 내에는 건측을 향하는 짧은 마비성 안진을 보이고 병변측으로 향

하는 100초 이내의 긴 역상기 안진이 관찰될 수 있다. 자발 안진 소실 후에도, 두진후 안진이 장기간 나타나며, 대개 정상을 향하는 안진이 유발되지만, 이 방향으로 병변의 방향을 정할 수는 없다.

- 두부 충동 검사: 고정된 물체를 주시하게 하고 전정안반사를 관찰하는 것으로, 전정 안반사의 이득이 저하된 경우에는 안구의 교정성 신속 보기corrective saccade가 나타난다. 양성시, 전정안반사의 기능 저하로 인한 말초 전정계의 기능 소실을 생각할 수 있다. 하지만 모든 환자에서 양성 반응을 보이지 않는다.

그림 4-27. 우측 전정신경염의 자발 안진 소견

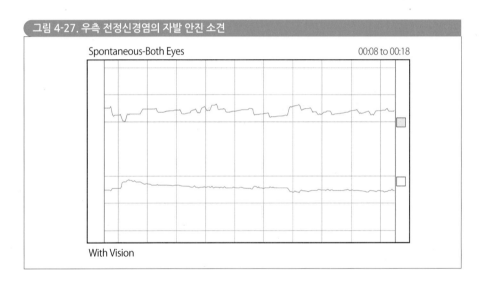

(2) 현훈을 동반한 돌발성 난청

① 돌발성 난청은 3일 이내, 연속한 세 주파수에서 30 dB 이상의 급성 청력 저하가 발생하는 질환이며, 돌발성 난청의 30–40%에서 어지럼을 동반한다.

② 안진

- 대부분 건측으로 자발 안진이 향하고 환측의 온도 안진 반응이 약해지는 일측성 전정 기능 저하 소견을 보이지만, 드물게 환측이 염증에 의해 자극받으며 환측으로 자발 안진이 향하기도 하며 일부에서는 BPPV가 동반되기도 한다.

- 어지럼이 동반되는 돌발성 난청은 병변의 범위가 전정 기관이나 전정신경까지 퍼지는 미로염/신경미로염 이므로 난청의 정도도 심하고, 어지럼이 없는 경우에 비교해서 예후도 나쁘다.

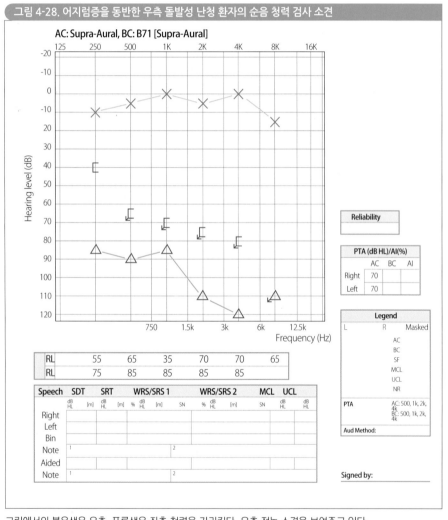

그림 4-28. 어지럼증을 동반한 우측 돌발성 난청 환자의 순음 청력 검사 소견

그림에서의 붉은색은 우측, 푸른색은 좌측 청력을 가리킨다. 우측 전농 소견을 보여주고 있다.

(3) 메니에르병

약 50%의 환자는 전정 기능이 정상이며, 말기에 가서야 온도안진 검사상 약 50% 의 반고리관 마비 소견을 보인다. 전정기능을 평가하기 위해서는 주로 상전정신 경 기능 평가를 위한 온도안진검사와 하전정신경 전정유발근전위검사를 이용할 수 있다. vHIT 검사는 대부분 정상이다.

(4) 양성 돌발체위현훈

① 후반고리관 양성돌발체위현훈

- 유발 자세에 따른 안진의 변화: Dix-hallpike 자세에서 후반고리관내 이석이 중 력의 영향을 받아 팽대부릉정에서 멀어지는 방향으로 움직이고 내림프의 이동 을 일으켜 후반고리관은 흥분하게 된다. 후반고리관이 흥분하면 동측 상사근과 반대측 하직근이 수축하여 안구는 내회선 및 하전하게 된다. 결과적으로 안진 은 이의 반대인 외회선 및 상향 안진을 보이게 된다.

그림 4-29. Modified Epley manever 시 우측 후반고리관 양성돌발체위현훈의 치료 과정 모식도

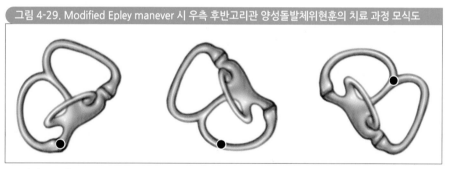

검정 원은 이석을 의미함

- 안진의 특성
- 다양한 강도의 회전성 현훈과 함께 1-20초의 잠복기 후 시계방향의 외회선 상 향 안진(안구의 상극이 검사하는 쪽 귀를 향하는)이 안진의 강도가 강했다가 약 해지는 crescendo-decrescendo 형태로 나타나고 1분 이내에 소실된다.
- 상사근은 활차를 통해 작용한다. 이는 활차의 축은 X축과 51°를 이루어 안구가

그림 4-30. 우측 후반고리관 양성돌발체위현훈의 Dix-hallpike 검사

우측 후반고리관 양성돌발체위현훈 환자의 우측 Dix-hallpike 검사 시 관찰되는 빠른 안진의 움직임

39° 외전된 상태에서는 힘이 가해지는 작용선과 안구의 회전축이 직각을 이루
어 하전하기 때문이다. 이와 같은 안진은 앉은 자세를 취하면 방향이 반대로 바
뀐다reverse nystagmus.

- 반복 검사 시 피로 현상에 의해 안진의 강도는 점차 감소한다fatigability.

- 안진의 강도 및 지속시간은 환자의 주관적인 어지럼과 일치한다. 후반고리관
  팽대부릉정결석의 경우, Dix-hallpike 자세에서 동일한 형태의 안진이 관찰되지
  만, 잠복기는 없거나 더 짧고 안진의 지속 시간은 더 길며 피로현상이 관찰되지
  않는 특징을 보인다.

그림 4-31. 우측 후반고리관 이석증의 전기안진검사 결과지

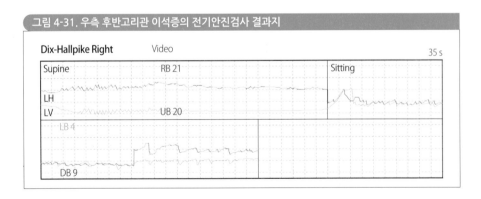

② 수평반고리관 양성돌발체위현훈

- 해부학적 구조: 수평 반고리관은 난원창과 팽대부릉정 사이는 단완short arm, 팽대부릉정에서 협부까지를 전완anterior arm, 협부부터 난원창까지를 후완posterior arm으로 구분한다.

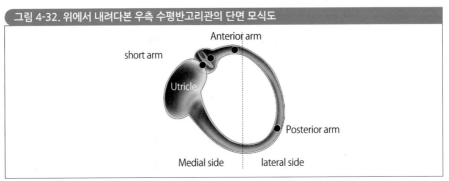

그림 4-32. 위에서 내려다본 우측 수평반고리관의 단면 모식도

검정색 원은 이석의 위치를 의미하며, 이석의 위치에 따라 전완, 후완, 팽대부릉정의 난원창측 방향, 관측 방향에 존재할 수 있다.

- 안진에 따른 구분: 유발되는 안진의 방향에 따라 향지성geotropic 안진과 원지성 apogeotropic 안진으로 나뉜다.

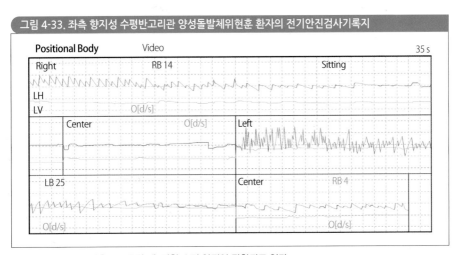

그림 4-33. 좌측 향지성 수평반고리관 양성돌발체위현훈 환자의 전기안진검사기록지

Supine roll test상 좌측으로 돌릴 때, 강한 수평 안진이 관찰되고 있다.

- 향지성 수평반고리관 양성돌발체위현훈 안진의 특징
- 안진의 방향: 머리를 우측으로 돌릴 때, 우향 수평안진, 머리를 좌측으로 돌릴 때 좌향 수평안진을 보인다. 이러한 안진의 방향은 자유롭게 움직이는 관내 이석의 난형낭 방향으로 움직임에 따라서 발생하게 된다.
- 병변 방향의 결정: 안진은 3초 미만의 짧은 잠복기와 함께 대개 1분 이내로 지속되며, 더 강한 안진이 유발되는 방향을 환측으로 진단한다. 이러한 이유는 Ewald 제2법칙에 따라, 내림프가 팽대부 쪽으로 향하는 것이 팽대부에서 멀어지는 것보다 더 큰 자극을 유발하기 때문이다. 또한 피로 현상이 거의 없다.

그림 4-34. 우측 관내 이석의 supine head roll test시 수평 안진의 모습

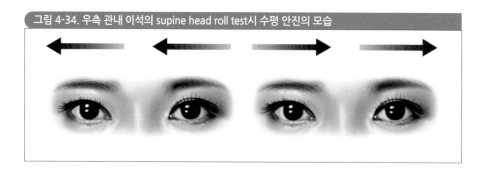

- 원지성 수평 반고리관의 양성돌발체위현훈
- 단완에 이석이 위치하는 경우, 병변측으로 머리를 90° 돌리면 단완에 위치한 관

그림 4-35. 우측 단완 수평 반고리관 양성돌발체위현훈의 두위 변환 검사

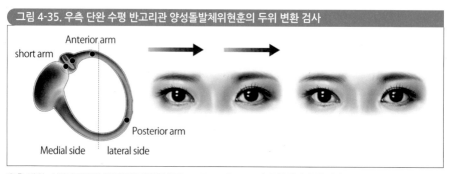

우측 단완 수평반고리관 양성돌발체위현훈과 supine roll test 시 우측에서만 원지성 수평 안진이 관찰되는 모습. 좌측으로 90도 돌릴 때에는 안진이 관찰되지 않는다.

내 이석이 난형낭에서 멀어지는 방향으로 흐르게 되어, 원지성의 강한 안진을 보이지만, 반대편으로 돌릴 때에는 안진이 거의 관찰되지 않는다.

• 원지성 팽대부마루 양성돌발체위현훈cupulolithiasis

- 안진의 변화: 앙와위에서는 수평반고리관의 팽대부마루에 붙어 있는 이석이 상부에 위치하게 되고, 이 상태에서 병변측으로 고개를 90도 돌리면 이러한 움직임으로 인해 이석들은 난형낭에서 멀어지는 쪽으로 흐르게 되어 원지성의 약한 안진이 관찰된다. 다시 앙와위 자세에서 병변의 반대측으로 머리를 90° 돌리면, 관내의 이석들은 난형낭 쪽으로 흐르게 되어 역시 원지성의 안진이 관찰된다.

- 병변의 방향: 이때 안진의 강도는 병변측보다 강하게 관찰된다. 이 또한 Ewald 제 2법칙에 의해 병변측을 결정할 수 있는데, 안진이 약한 쪽이 병변측이다.

- 안진의 특성: 잠복시간과 피로현상도 거의 없고 체위검사를 시행해 머리를 계속 유지하는 동안 지속적인 안진을 보인다.

그림 4-36. 팽대부마루 양성돌발체위현훈의 supine head roll test상 안진의 모식도

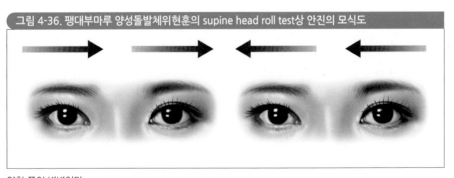

약한 쪽이 병변이다.

- Bow & Lean test: supine head roll test상 양측에서 관찰되는 안진의 강도가 비슷해 병변측이 애매한 경우에 있어 Bow-lean 검사는 매우 유용한 검사이다. 수평반고리관 양성돌발체위현훈의 경우, 앉은 자세에서 머리를 숙일 때 병변측으로 향하는 수평안진, 머리를 젖힐 때 건측으로 향하는 수평 안진이 관찰된다. 팽대부마루 이석의 경우는 이와 반대로 머리를 숙일 때 건측으로, 머리를 젖힐 때 병변측으로 향하는 수평안진이 관찰된다.

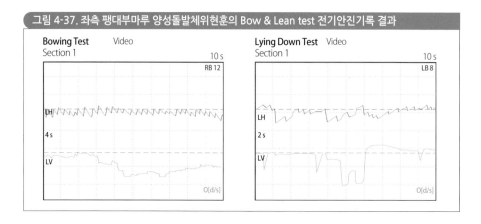

그림 4-37. 좌측 팽대부마루 양성돌발체위현훈의 Bow & Lean test 전기안진기록 결과

- 전반고리관 양성돌발체위현훈
- 임상적 특징: 전체 양성돌발체위현훈 중 3% 미만을 차지하여 극히 드물다.
- 안진의 특성: 병변측 상직근과 반대측 하사근 흥분에 따른 하향 및 회선 안진이 관찰된다. 전반고리관은 시상면으로부터 약 41° 각도에 위치하고 후반고리관은 56°의 각도에 위치하므로 회선 안진에 대한 벡터가 상반고리관이 작다. 따라서 후반고리관은 상향 안진보다는 회선안진이 더 강하고, 전반고리관은 이와 반대로 회선 안진보다 하향안진이 더 강하다.

그림 4-38. 현수 우위시 관찰되는 전반고리관 양성돌발체위현훈의 안진 모식도

약한 쪽이 병변이다.

- 진단을 위한 신체 검사
- 보통 Dix-hallpike 수기를 이용하며, 양측 귀의 반고리관 중 일측 상반고리관은
반대편 후반고리관과 짝을 이루고 있다. 따라서 일측 상반고리관을 검사하기
위해서는 반대편 Dix-hallpike 수기를 시행한다면 간편하게 평가할 수 있다.
- Straight head-hanging: 앉은 자세에서 머리를 최대한 낮게 내리는 방법이 이석
의 가장 큰 움직임을 유발시킬 수 있기 때문에 일반적인 Dix-hallpike보다 효과
적이다.
- 감별진단: 하향 수직안진의 경우 중추성 병변 가능성이 있으므로 회전성 안진
이 동반되는지를 반드시 확인해야 함.

(5) 외림프누공

① 자발안진: 드물다. 다른 내이 병변에서 보이는 자발 안진과 감별되지 않는다.

② 온도 안진 검사: 50-75%의 환자에서 환측 반고리관마비 소견이 관찰될 수도
있으나, 다른 내이 질환과 흡사하며, 진단적 의미는 없다.

③ 두위 및 두위변환 안진 검사: 환측 귀를 아래로 할 때 어지럼을 호소하는 경우
가 더 많다.

④ 안진의 양상: 양성돌발체위현훈에 비해 잠복기가 거의 없거나 약한 안진이 안
진의 지속 시간이 더 길고, 안진의 피로 현상이 없다. 앉은 자세를 취할 때 안진의
방향 변화가 없으며 회선안진torsional nystagmus을 보이는 소견 등으로 구분할 수
있다.

⑤ 누공 검사: Politzer bag이나 기압 이경, 이주 압박을 이용하여 양압을 걸어주면
안구가 반대편으로 편위되었다가 검사측을 향하는 안진을 보이며, 감압을 하면
소견을 보일 수 있다. 이러한 누공 검사의 양성율은 보고에 따라 다양하여 단일
진단검사로는 부족하다.

- 양압을 주면 수평 반고리관의 endosteum을 통해 압력 전달이 되고, utricle로 향하는 내림프 흐름이 유발되어 동측으로 향하는 안진이 발생한다.
- 음압을 주면, 반대 방향의 내림프 흐름이 유발되어 병변 반대측을 향하는 안진이 발생한다.

그림 4-39. Politzer bag을 이용한 자극시 안진의 변화

(6) 상반고리관피열증후군

① 전기안진검사, 온도안진검사: 대부분 정상이다.

② 안진의 특성: 외이도에 양압을 주면 고막와 등골판을 안쪽으로 움직이게 만들고 압력 변화에 의해 상반고리관 팽대부에 자극을 주면 상반고리관이 자극되어 발생하는 안구의 움직임상방을 향하는 수직성 완서상 안구 운동과 왼쪽 병변시 시계 방향의 회전성 완서상 안구 운동)이 유발된다. 반대로 외이도에 음압을 주게 될 경우 반대 방향으로 안구 움직임이 유발된다.

[참고문헌]

1. 대한 평형의학회. 증례를 통한 어지럼증의 이해. 2014. 범문에듀케이션.
2. 대한이비인후과학회. 이비인후과학. 2018. 군자출판사.
3. 나우성, 정재윤, 서명환. 어지럼 환자에서 기본적인 검사의 해석. Research in Vestibular Science 2012.
4. 한규희, 구자원. 안진의 해석. Research in Vestibular science. 2012.
5. 구자원. 상반고리관 피열 증후군. Korean J Otorhinolaryngol-Head Neck Surg. 2011:54:117-23.

05

VNG의 측정과 해석

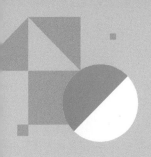

비디오안진검사

이익성

① 서론

안구운동의 궁극적인 목적은 관심 있는 물체의 상이 중심와에 맺히도록 하는 것이다. 안구운동계의 이상이 생기면 안구는 원래 위치에 머물러 있지 못하고 물체의 상이 중심와에서 벗어나게 되므로 이를 교정하기 위한 안구운동이 발생한다. 이러한 안구운동 중 주시점에서 벗어나는 안구운동이 느린 안구운동인 경우 안진이라고 부른다.

안진을 관찰하는 것은 맨눈이나 캠코더, 스마트폰 카메라로도 가능하나, 안구운동기록장치ocuography를 활용하면 안진의 강도를 정량적으로 측정하고 시간에 따른 안진의 변화나 치료에 대한 반응을 기록할 수 있다. 또한 안진의 느린 성분slow phase의 파형을 분석하면 안진의 기전을 파악하는 데 도움이 될 수 있다.

본 장에서는 안구운동기록장치 중 현재 가장 널리 쓰이고 있는 비디오안진검사의 장단점, 검사방법, 해석에 대해 기술하였다.

② 안구운동기록장치의 종류와 장단점

안구운동기록장치의 종류는 전기안진검사electro-nystagmography, 비디오안진검사video-nystagmography, 자기탐색코일magnetic search coli 등이 있다. 김태수 등이 대한평형의학회지에 2018년에 보고한 바에 따르면 조사에 응답한 49개 병원 모두에서 비디오안진검사 장비를 보유하고 있었으며, 그 중 13개 병원에서는 전기안진검사 장비도 함께 보유하고 있는 것으로 조사되었다.[1] 자기탐색코일 검사는 연구용으로만 활용되고 있다.

전기안진검사는 과거에 많이 사용하던 방법으로 전극을 눈 주위에 부착하여 각막–망막전위corneo-retinal potential을 측정하여 안진을 기록한다(그림 5-1). 전기안진검사는 안검하수, 비정상적인 동공모양, 고글 착용이 어려운 소아에서 측정이 가능하고, 비디오안진검사에 비해 더 큰 범위의 안구운동을 측정할 수 있다는 장점이 있다. 하지만 눈깜빡임을 안진으로 오인하기가 쉬우며 회선안구운동을 기록할 수 없고, 망막의 병적상태나 실내조명등의 영향을 많이 받는 단점이 있다. 이러한 단점으로 인해 대부분의 병원에서는 비디오안진검사 장비를 도입해 활용하고 있다.

그림 5-1. 전기안진검사 전극 부착위치(4 채널)

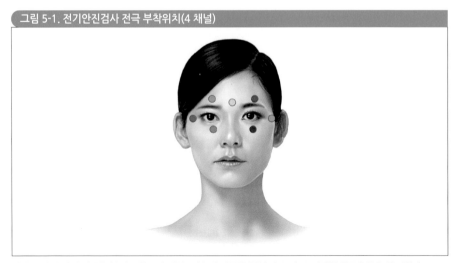

이마 중앙에 접지 전극을 붙이고 안구의 상하, 좌우에 전극을 붙여서 수평, 수직방향 안구운동을 측정한다.

비디오안진검사는 안구운동을 기록하여 분석하면서 영상을 저장할 수 있어 연구용, 교육용으로 활용할 수 있다. 또한 높은 시간(초당 60프레임) 및 공간해상도(시야각 0.5°)로 안진을 측정가능하다는 장점이 있다. 고글을 쓰고 적외선 영상추적시스템을 활용해 안구운동을 기록하기 때문에 완벽한 암시야를 구현하여 주시를 억제하여 검사가 가능하다(그림 5-2). 하지만 동공과 각막을 비디오안진검사 시스템이 인식할 수 있어야 검사가 가능하기 때문에 안검하수나 동공이상이 있는 환자에서 측정이 어려운 경우가 있으며, 고글을 착용하기 어려려운 소아에서도 검사가 어렵다는 단점이 있다.

그림 5-2. 비디오안진검사 장비

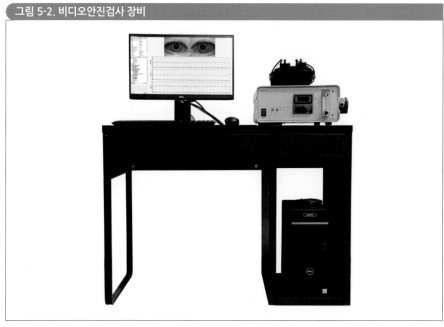

적외선카메라가 장착된 고글에는 주시를 억제하기 위한 덮개가 있어야 한다. 시표는 LED 불빛으로 제시되며, 고글과 연결된 컴퓨터에서 안구운동을 기록한다.

공막탐색코일안진계 검사는 콘택트렌즈 형태의 공막탐색코일을 각막에 부착하고 주의에 설치한 자기장 안에서 탐색코일의 상대적인 위치를 계산하여 안구운동을 기록하는 장치로, 가장 높은 시간 및 공간 해상도로 안구운동을 정확하게 기록할 수 있는 검사법이다. 하지만 장비 설치를 위한 공간이 많이 필요하고, 상용화된 장비가 없어 설치 비용이 비싸다는 단점이 있다. 무엇보다도 검사할 때 코일이 매립된 렌즈를 환자에게 삽입해야 하며 이로 인한 각막 손상의 위험이 있으므로 연구목적 외에는 거의 활용하지 않고 있다.

③ 비디오안진검사 방법

1) 비디오안진검사 원리

비디오안진검사는 적외선 영상추적시스템을 활용하는 검사법으로 동공을 적외선카메라로 촬영하여 주시각angle of gaze을 측정한다. 안구 위치를 계산하기 위해서는 두 개 이상의 기준점이 필요하며, 동공의 중심과 각막에서 빛이 반사된 위치 두 점을 활용하는 방식과 홍채의 패턴을 여러 점으로 인식하여 안구의 위치를 계산하는 방식이 활용되고 있다. 초기의 장비에서는 수평방향의 안구운동만 기록할 수 있었으나, 현재 대부분의 병원에서 활용 중인 장비는 수평, 수직, 회선 방향의 안구운동을 모두 기록할 수 있다.

2) 비디오안진검사의 방법

(1) 보정

안구운동과 안진을 정확히 측정하기 위해서는 검사 전 보정 과정이 매우 중요하다. 먼저 피검자와 표적간의 거리를 검사장비에 입력을 해야 한다. 보통은 피검자가 앉는 의자가 고정되어 있으므로 매번 입력할 필요가 없으나 의자의 위치가 변한 경우 새로 입력해야 한다. 피검자가 의자에 앉은 상태에서 정면, 좌, 우, 상, 하에 위치한 표적을 주시하게 하여 안구의 위치를 보정하게 된다. 만약 보정이 부정확하거나 매번 다르게 된다면 안진을 정량한 결과를 신뢰할 수 없게 된다. 소아의 경우 머리의 크기가 작아서 고글이 잘 고정되지 않아 보정이 부정확할 수 있다.

(2) 검사 순서

모든 환자에서 똑같은 순서로 검사를 시행할 필요는 없으나, 보통의 검사실에서 는 자발안진, 주시유발안진, 안구운동검사, 유발안진의 순서로 검사를 시행한다.

자발안진은 주시가 있는 상태, 즉 정면의 시표를 주시하고 있는 상태에서 안진을 측정한다. 자발안진을 검사한 뒤 상하좌우 시표를 주시하면서 주시유발 안진을 측정한다. 이후 신속운동, 추종운동, 폭주 등의 안구운동을 검사하고, 고글의 앞을 덮개로 덮어 주시를 제외한 상태에서의 자발안진을 측정한다. 이후 필요에 따라 유발안진을 검사한다. 유발안진의 검사법은 진동유발안진, 과호흡유발안진, 체위 성안진, 두진후안진 등의 방법이 있다. 검사 순서는 절대적인 것이 아니며, 환자 의 증상 및 진찰소견에 따라 필요한 검사를 시행해야 한다.

(3) 자발안진

자발안진을 검사하기 위한 시표는 폭주로 인한 효과를 배제하기 위해 1 m 이상, 이상적으로는 2 m 거리의 시표를 사용하는 것이 좋다. 검사를 할 때는 반드시 고 글의 앞을 덮개로 덮어 주시를 제외한 자발안진도 검사를 하여 주시에 의한 안진 의 변화유무를 확인해야 한다. 30초 이상 자발안진을 측정하는 것이 필요 하며, 주기교대안진이 의심되는경우는 3분에서 5분까지 관찰하는 것이 필요하다.[2]

(4) 주시유발안진

주시유발안진은 눈의 위치가 제일안위를 벗어나 어느 한 쪽을 바라볼 때 나타나 는 안진으로 시표를 수평, 수직방향 20° 시야각만큼 정면에서 벗어나게 제시한 뒤 검사한다. 주시유발안진은 종점안진과 혼동하지 않는 것이 중요하며, 종점안 진과의 혼동을 피하기 위해 눈을 30° 이상 중앙에서 벗어나지 않도록 주의하는 것이 필요하다. 주시유발안진을 검사할 때는 중앙에서 벗어난 시표를 본 뒤 중앙 의 시표를 보면서 반동안진이 나타나는지도 관찰하는 것이 중요하다. 협조가 어 려운 환자는 고개를 돌려서 정면을 주시하게 하면서 주시유발안진을 관찰할 수 도 있다.

(5) 체위성안진

체위성안진을 관찰할 때는 주시를 제외한 상태, 즉 고글의 앞 덮개를 덮은 상태에서 검사한다. 체위성안진을 측정하기 전에는 반드시 경추질환 유무를 환자에게 확인하여야 한다. 체위성안진을 검사하기 위해서는 각 자세마다 30초 이상 안진을 관찰하는 것이 필요하다. Bow and lean, lying down, supine head roll test, Dix-hallpike test의 순서로 보통 검사를 진행하며, 체위가 바뀐 뒤에 안진이 유발되는지, 원래 있던 자발안진이 강해지거나 약해지는지를 측정하여 기록한다.

(6) 두진후안진

두진후안진은 보통 가장 마지막에 검사하는 편이 좋으며, 체위성안진과 마찬가지로 경추 질환이 있는지 반드시 확인 후 검사를 시행해야 한다. 고개를 약 20 Hz의 속도로 20-30 정도 좌우로 흔든 뒤 나타나는 안진을 관찰해야 한다. 연수경색 등 중추성 현훈환자의 경우 두진후 갑작스러운 몸통 가쪽쏠림body lateropulsion이 나타날 수 있으므로 두진 후 환자의 고개를 잘 고정하고 있어야 한다.

(7) 시운동성안진

시운동이동반응optokinetic response은 넓은 시야에서 발생하는 동적시각자극에 의해 생성되며, 지속적인 머리 회전 동안 상을 중심와에 유지하는 데 도움을 주는 안구운동이다. 보통 검사실에서 드럼을 돌려서 시행하는 시운동성안진은 충분히 넓은 시야에서 자극이 되기 어렵기 때문에 시운동반응보다는 추종운동을 검사하게 된다. 영아안진 환자는 시운동성 안진의 방향이 역전되는 것이 특징적이다.

(8) 기타유발안진

과호흡유발안진, 진동유발안진, 누공검사 등을 시행할 수 있으나 청신경종양, 외림프누공등이 의심되는 병력이 있을 때에 한해서 시행한다.

4. 비디오안진검사의 해석

1) 안진의 파형

맨눈으로 관찰할 때는 주로 안진의 빠른성분quick phase을 관찰하지만, 비디오안진
검사를 수행하게 되면 느린성분slow phase의 파형을 관찰함으로써 안진의 기전을
파악할 수 있다는 장점이 있다. 저속기의 파형에 따라 안진을 분류하면 등속안진
(전정계의 이상), 감속안진(주시유발안진), 증속안진(영아안진), 고속기 없이 저속
기로만 구성된 시계추안진(선천 및 후천안진) 등으로 분류할 수 있다(그림 5-3).[3]

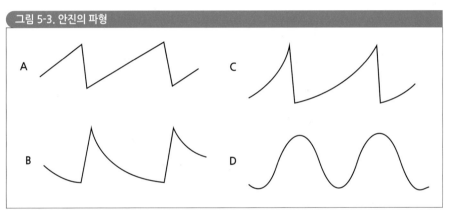

그림 5-3. 안진의 파형

x축이 시간, y축이 안구위치인 안구운동기록(oculography)의 저속기 파형으로 안진의 기전을 유추할 수 있다.
A. 등속안진 B. 감속안진 C. 증속안진 D. 시계추안진

2) 안진의 방향

비디오안진검사를 수행하고 나면 안구운동기록oculography을 얻을 수 있다. 수평
방향 안구운동기록에서는 위쪽이 오른쪽, 아래쪽이 왼쪽, 수직방향으로는 위쪽이
위쪽 아래쪽이 아래쪽, 회선방향의 기록에서는 위쪽이 시계방향(안구의 상부극
upper pole이 피검자의 오른쪽 어깨방향으로 향함) 아래쪽이 시계반대방향의 안구
운동으로 정의한다(그림 5-4). 안진의 방향은 빠른성분의 방향으로 정의하기 때문
에 기울기가 가파른 부분을 확인하면 안진의 방향을 판독할 수 있다.

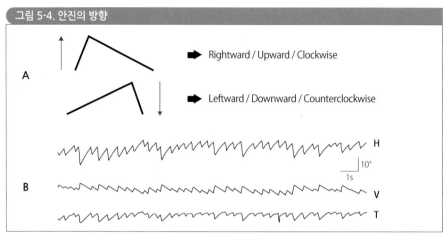

그림 5-4. 안진의 방향

A. 기울기가 가파른 고속기가 위쪽을 향할 때는 오른쪽, 위쪽, 시계방향으로 향하는 안진으로 정의하고, 고속기가 아래쪽을 향할 때는 왼쪽, 아래쪽, 시계반대방향으로 향하는 안진으로 정의한다. B. 왼쪽, 위쪽, 시계반대방향으로 향하는 안진의 예시. H (horizontal): 수평방향 안구위치, V (vertical): 수직방향 안구위치, T (torsional): 시계반대방향 안구위치

3) 안진의 강도

안진의 강도는 속도로 정의하며, 저속기의 기울기를 측정해서 초당각속도($°$/sec)로 표시한다(그림 5-5). 자발안진의 경우 평균 속도를, 유발안진의 경우 최대 속도를 계산하여 소수점 첫째자리에서 반올림하여 기록한다. 검사 결과지에는 안진의 방향만 적어서는 안 되고 반드시 안진의 강도도 표기해야 한다. 예) 자발안진: 왼쪽 $10°$/sec

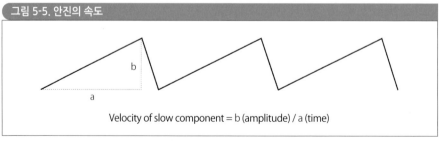

그림 5-5. 안진의 속도

Velocity of slow component = b (amplitude) / a (time)

느린성분의 기울기로 안진의 속도를 정의하고 그 속도로 안진의 강도를 평가한다. 단위는 초당각속도 ($°$/sec)로 표기한다.

⑤ 증례와 비디오

1) 전정신경염환자에서의 자발안진

갑자기 발생한 어지럼, 구역, 구토로 내원하여 왼쪽 전정신경염을 진단받은 환자의 자발안진 소견이다. 주시가 있는 상태에서 약 3°/sec의 우측, 시계방향의 안진이 관찰된다. 주시를 제거한 상태에서는 15°/sec로 안진의 강도가 증가하지만 방향은 바뀌지 않는다. 전정안반사의 비대칭으로 인해 발생한 안진으로 느린성분의 파형이 일직선이다(그림 5-6).

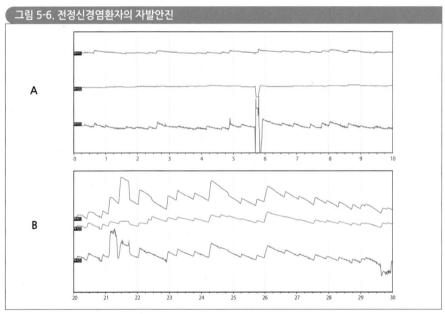

그림 5-6. 전정신경염환자의 자발안진

A. 주시하는 상태에서의 자발안진. 오른쪽, 시계방향으로 향하는 안진 B. 주시를 제거했을 때의 자발안진. 안진의 방향은 그대로이지만 느린성분의 속도가 많이 증가하는 것을 관찰할 수 있다. H (horizontal): 수평방향 안구위치, V (vertical): 수직방향 안구위치, T (torsional): 시계반대방향 안구위치(동영상 5-1, 2)

동영상 5-1. vestibular neuritis 1　　동영상 5-2. vestibular neuritis 2

2) 영아안진증후군

영아안진증후군 환자의 자발안진 소견이다. 안진의 느린성분의 속도가 지수함수적으로 증가는 증속안진이고 중심오목기^{foveation period}가 있는 것이 특징적이다. 주시가 제거된 상태에서 안진의 강도가 오히려 줄어드는 양상도 영아안진에서 관찰할 수 있는 특징이다(그림 5-7).

그림 5-7. 영아안진증후군 환자의 자발안진

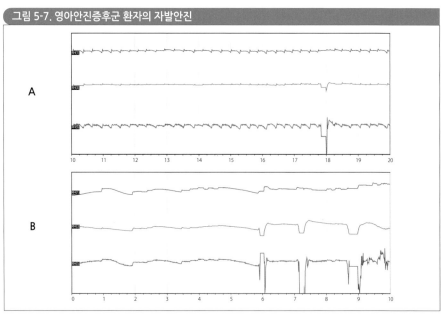

A. 주시하는 상태에서의 자발안진. 오른쪽으로 향하는 자발안진이 관찰되며, 느린성분의 속도가 증가하는 증속안진이다. 중심오목기(검정색 세모)가 있어 안진이 있지만 동요시는 심하지 않다. B. 주시를 제거했을 때의 자발안진. 주시를 제거했을 때 오히려 안진의 강도가 감소한다. H (horizontal): 수평방향 안구위치, V (vertical): 수직방향 안구위치, T (torsional): 시계반대방향 안구위치(동영상 5-3, 4)

동영상 5-3. infantile nystagmus 1

동영상 5-4. infantile nystagmus 2

3) 주시유발안진

소뇌경색환자의 자발안진과 주시유발안진 소견이다. 전방주시를 할 때 왼쪽으로 향하는 자발안진이 관찰되며 오른쪽 15도 시야각에 있는 시표를 볼 때는 오른쪽으로 안진의 방향이 바뀌며, 왼쪽 15도 시야각에 있는 시표를 볼 때는 왼쪽으로 안진이 나타난다. 왼쪽을 쳐다보다가 제1안위로 돌아왔을 때 오른쪽으로 향하는 반동안진이 나타나는 것이 특징적이다(그림 5-8).

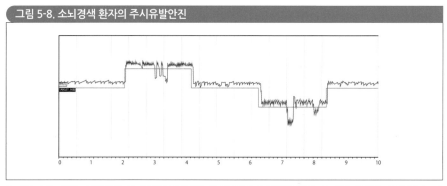

그림 5-8. 소뇌경색 환자의 주시유발안진

A. 왼쪽으로 향하는 자발안진, B 오른쪽을 주시할 때 오른쪽으로 방향이 바뀜. C. 왼쪽 주시할 때 왼쪽으로 방향이 바뀜. D. 다시 제1안위(primary eye position)으로 돌아왔을 때 오른쪽으로 향하는 반동안진(rebound nystagmus)가 관찰됨. RH: 오른쪽 안구의 수평방향 위치, Target: 시표의 수평방향 위치(동영상 5-5)

동영상 5-5. 주시유발안진

4) 시계추안진

교뇌출혈 후 아래올리브핵inferior olivary nucleus의 비후가 있는 환자의 자발안진 소견이다. 안진이 빠른성분 없이 느린성분으로만 좌우로 시계추처럼 움직이는 것이 특징적이며, 입천장떨림과 동반될 수 있다(그림 5-9).

그림 5-9. 아래올리브핵비후 환자의 시계추안진

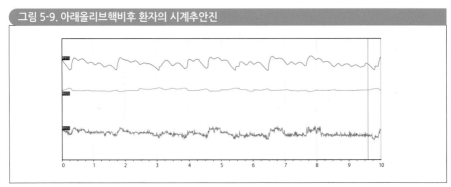

수평방향으로 빠른성분 없이 느린성분으로만 이루어진 안진이 관찰된다. H (horizontal): 수평방향 안구위치, V (vertical): 수직방향 안구위치, T (torsional): 시계반대방향 안구위치(동영상 5-6)

동영상 5-6. 시계추안진

[참고문헌]

1. 김태수, 김미주, 김병건, 김현아, 배대웅, 배미란, 배성천, 이익성, 전은주. 국내 전정기능검사실의 운영 현황. Research in Vestibular Science. 2018;17(4):160-6.
2. 김지수, 임상평형의학 제2판, 제7장 안진과 부적절한 신속안구운동, 대한평형의학화, 범문에듀케이션
3. 김지수. 안진. 대한신경과학회지. 2004;22(3):177-91.

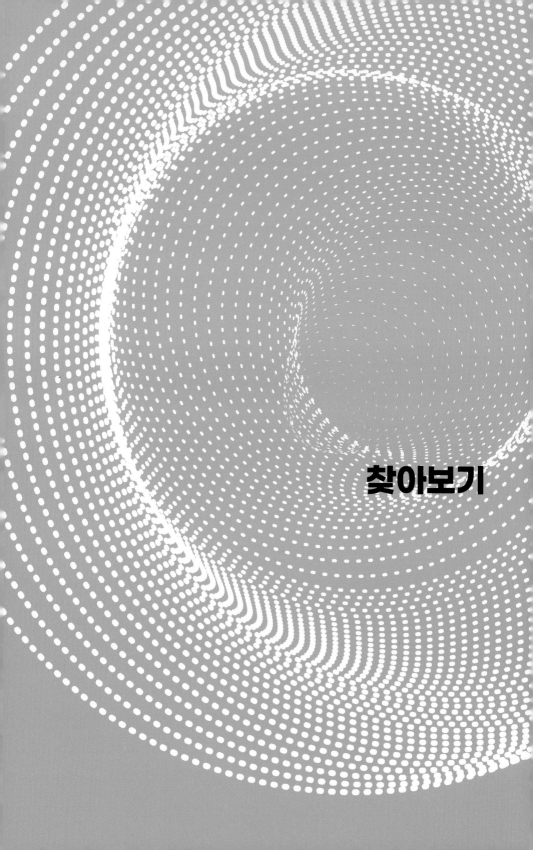

찾아보기